PETER DOWNEY

ENTÃO VOCÊ VAI SER PAPAI

PARA HOMENS QUE SABEM
MUITO POUCO SOBRE A
ARTE DE CRIAR FILHOS

E NOVA EDIÇÃO!

Editora Fundamento

2012, Editora Fundamento Educacional Ltda.
Reimpresso em 2025.

Editor e edição de texto: Editora Fundamento
Editoração da Capa: Onirius Comunicação Ltda.
Ilustração da Capa: Emerson Fialho
Editoração eletrônica: TRC Comunic Design Ltda. (Marcio Luis Coraiola)
 Bella Ventura Eventos Ltda. (Lorena do Rocio Mariotto)
CTP e impressão: Maxi Gráfica
Tradução: Koriun Traduções Ltda. (Lais Andrade)

Copyright de texto © 2006 Peter Downey
Copyright das ilustrações © 2006 Nik Scott
Publicado originalmente na Austrália por Simon & Schuster
Direitos de tradução negociados através da Australian Licensing Corporation

Todos os direitos reservados. Nenhuma parte deste livro pode ser arquivada, reproduzida ou transmitida em qualquer forma ou por qualquer meio, seja eletrônico ou mecânico, incluindo fotocópia e gravação de backup, sem permissão escrita do proprietário dos direitos.

Dados Internacionais de Catalogação na Publicação (CIP)
(Câmara Brasileira do Livro, SP, Brasil)

Downey, Peter
 Então você vai ser Papai / Peter Downey; [versão brasileira da editora] – 1. ed. – São Paulo, SP: Editora Fundamento Educacional Ltda., 2012.

 Título original: So you're going to be a dad.

 1. Crianças – Criação 2. Educação de crianças 3. Pais e filhos 4. Papel dos pais 5. Família I. Título.

10-09290 CDD-649.1

Índices para catálogo sistemático:
1. Criação: Vida familiar 649.1
2. Relações familiares: Vida Familiar 649.1

Fundação Biblioteca Nacional

Depósito legal na Biblioteca Nacional, conforme Decreto n.º 1.825, de dezembro de 1907.
Todos os direitos reservados no Brasil por Editora Fundamento Educacional Ltda.

Impresso no Brasil

Telefone: (41) 3015 9700
E-mail: info@editorafundamento.com.br
Site: www.editorafundamento.com.br

Este livro foi impresso em papel offset 90 g/m² e a capa em papel cartão 250 g/m².

SUMÁRIO

Nota do autor	V
Introdução	VII
Prólogo	IX
Capítulo 1: Foi assim que tudo começou	1
Capítulo 2: A gravidez	27
Capítulo 3: Chegou a hora	55
Capítulo 4: Como sobreviver ao hospital	108
Capítulo 5: Sobrevivência em casa	146
Epílogo	204
Glossário	207
Apêndice 1: Filmes educativos para pais	217
Apêndice 2: O que meus amigos têm a dizer	221

NOTA DO AUTOR

É impossível, em um livro como este, não generalizar. Cada gestação é diferente das outras. Nenhum trabalho de parto é igual a outro. Cada bebê é único. Os médicos têm diferentes pontos de vista. As pessoas têm diferentes posturas e opiniões. As práticas evoluem no tempo. As políticas dos hospitais são distintas. Médias são só isso – médias.

Este livro se baseia nas minhas experiências, no meu conhecimento e nas minhas opiniões. Nem todos concordam com algumas das minhas ideias, mas essa é a beleza de se viver em um ambiente democrático. Basta que vocês prestem atenção às páginas de internet onde há fóruns e notícias sobre o assunto "paternidade" para perceberem como as pessoas podem assumir posições radicais a esse respeito (leia-se: posturas psicopáticas e obsessivas). Há discussões acaloradas sobre circuncisão, vacinação, amamentação *versus* mamadeira e até sobre fraldas de pano *versus* fraldas descartáveis. E, se você não concorda com eles, deve ser alguma espécie de CÃO DO INFERNO e a vida do seu filho estará fadada à ruína. É importante que você não adote, simplesmente, as ideias dos outros como elas chegam até você, mas examine as questões mais detidamente e tome uma decisão.

Este é um livro de conteúdo geral, que reflete as minhas vivências e a minha suposição de que você seja um sujeito comum, como eu, no que diz respeito às questões da gravidez, do parto e da criação dos filhos. Preferi pender para o lado da simplicidade e da concisão e evitar assuntos que exigissem grande sensibilidade ou extensas explicações acadêmicas. Neste livro, por exemplo, você não encontrará nenhuma menção específica a temas como abortamento, parto de lótus, armazenamento do cordão umbilical, questões sobre gêmeos e trigêmeos, criação por apego ou terapias alternativas.

Alguns itens aos quais eu dediquei algumas linhas são temas de livros inteiros, com 300 páginas. Portanto, não memorize o conteúdo deste livro como se ele fosse uma Bíblia e, ao mesmo tempo, personalizado para sua situação individual. Não use este livro como se fosse um livro de receitas de bolo. Minha intenção foi apenas a de transmitir algumas informações, abordar questões que você deve discutir com sua mulher e provocar em você um pouco de reflexão sobre o que significa ser pai.

Ao me referir à parte feminina, que constitui a outra metade do casal de pais, sempre usei a expressão "minha mulher"/"sua mulher" em vez de "minha parceira"/ "sua parceira". Tudo bem, você vai dizer que, estatisticamente, é provável que metade dos leitores deste livro não sejam casados oficialmente e, portanto, não sejam "maridos", mas, como eu precisava escolher, optei pelo termo que é o meu preferido. Podem me chamar de ultrapassado, não importa, é o meu livro, posso escrever como quiser.

Ao me referir ao bebê, empreguei o masculino – ele –, sem intenção de indicar o sexo da criança, apenas respeitando a concordância com o substantivo "bebê".

INTRODUÇÃO

Então você vai ser papai chegou às livrarias pela primeira vez há mais de uma década. De lá para cá, muita coisa mudou, e há muitas práticas e teorias – das mais triviais às mais significativas – relativas à gravidez, ao parto e à criação dos filhos, que são muito diferentes hoje em relação à época em que eu comecei a trocar fraldas. Por exemplo, ocorreram mudanças de natureza legal (como a postura relativa a filmar a cesariana, neste mundo atual, cada vez mais litigioso); ocorreram mudanças tecnológicas (ultrassonografia tri e quadridimensional e a incrível proliferação de páginas de internet, chats e fóruns sobre o assunto "paternidade"); algumas mudanças foram decorrentes do desenvolvimento de novos produtos (novos modelos de carrinhos), enquanto outras resultaram de novas recomendações médicas (técnicas de prevenção de morte súbita na infância); algumas mudanças foram apenas o resultado da evolução de certas práticas sociais (como os novos banheiros trocadores, onde ambos os pais podem entrar, disponíveis em aeroportos e shoppings, ou a mudança de postura relativa à circuncisão, à cesariana e ao desmame); e outras mudanças foram feitas por mim com base em conhecimentos atuais que eu não tinha quando escrevi o livro pela primeira vez (por exemplo, naquela época, eu nunca tinha ouvido os termos blastocisto, êmese gravídica, mecônio ou colostro).

Muita coisa também mudou na minha vida desde então. As palavras deste livro descrevem um mundo bem distante daquele no qual eu vivo agora. Minhas filhas Rachael, Georgia e Matilda já estão na escola secundária. Meredith, minha mulher, voltou a trabalhar. Eu estou onze anos mais velho e minhas roupas daquela época já não me servem. Por isso, ler este livro, para mim, é como folhear um antigo álbum de fotografias das quais já não me recordava mais... A tal ponto que, às vezes, me parece que estou lendo sobre as experiências de outra pessoa. Mas é isso mesmo – o tempo voa e os filhos crescem.

Enfim, preciso dizer mais uma coisa. Apesar da minha estreia hesitante e insegura, ser pai foi a melhor coisa, a mais importante e mais prazerosa que me aconteceu na vida. Foi uma experiência que redefiniu todo o meu mundo, da minha agenda diária ao sentido da minha existência (e certamente a minha conta bancária!). Talvez isso lhe pareça assustador, dependendo de sua situação no momento, se você está lendo este livro enquanto encara o túnel escuro de sua futura condição de pai. Mas acredite... do outro lado desse túnel, o sol brilha, a grama é verde e a água é fresca.

Eu adoro ser pai. Todos os dias, eu vivo uma nova aventura. Na verdade, eu não trocaria meu lugar no mundo com ninguém... nem mesmo com Paul McCartney.

PRÓLOGO

Ser pai tem vantagens e desvantagens. As vantagens são:
- você pode comprar doces e coisas gostosas e dizer que são para a criança;
- você pode ficar vagueando pelas lojas de brinquedos sem constrangimento;
- pessoas gentis cedem lugar para você na fila;
- você pode pilotar um carrinho que parece o minibuggy de *Perdidos no Espaço*; e
- você pode soltar pum em uma sala cheia de gente e colocar a culpa no bebê.

As desvantagens são:
- sua vida acabou.

Este livro fala sobre o que é ser pai. Eu decidi escrevê-lo por três motivos.

Primeiro: porque quero me tornar um escritor rico e famoso. Espero que este livro consiga aquele selo na capa: "3 milhões de exemplares vendidos". Isso quer dizer que eu poderei ser convidado para entrevistas de televisão, andar por aí vestido de preto, tomar muitos *macchiatos* em cafeterias famosas e depois voltar para casa dirigindo meu Audi TT Roadster. Quer dizer que eu poderei circular pelas festas de escritores famosos mundo afora e depois encerrar a carreira e ir viver em uma quinta, em Portugal.

Segundo: porque quero escrever para alertá-lo. Tornar-se pai é algo que vai mudar sua vida. Alguém precisa prepará-lo para isso. Esse alguém pode muito bem ser eu.

Minha esposa, Meredith, e eu somos os orgulhosos pais de três filhas – Rachael, Georgia e Matilda. Orgulhosos quer dizer isso mesmo – orgulhosos. Adoro minhas filhas. E adoro ser o pai delas.

Adorei quando Rachael trouxe barro da escolinha maternal e achou que podia me ajudar a fazer o jantar jogando alguns torrões na panela fumegante de frango à marengo que eu estava preparando – algo que só percebi quando os convidados começaram a comer.

Adorei aquele dia em que deixei Georgia sozinha por dez segundos, ela tirou o fone do gancho do telefone e apertou teclas programadas para o número de nossos amigos de Nova Iorque – a chamada caiu na secretária eletrônica, mas eu só percebi que estávamos fazendo uma ligação interurbana mais de uma hora depois.

E adorei aquele dia em que eu estava de terno e gravata, pronto para ir a um casamento dentro de dez minutos, e resolvi dar mais uma olhadinha nas crianças. Peguei Matilda no colo e alguma coisa mole saiu da fralda diretamente para meu terno, só que eu não tinha outro, por isso o limpei como pude, mas passei a noite inteira ouvindo as pessoas me perguntarem: "Qual é essa loção pós-barba que tem um cheiro tão estranho?"

> TORNAR-SE PAI É ALGO QUE VAI MUDAR A SUA VIDA.

Pois é, não há nada como ser pai. Eu me considero um sujeito totalmente devotado à família. Ser pai é algo realmente importante na minha vida. Eu não trocaria meu lugar com ninguém, exceto, talvez, com Paul McCartney. Mas nem sempre me senti assim tão seguro e certamente não posso dizer que gostei de cada minuto dessa experiência. Logo que me tornei pai, lembro-me de me arrastar para a cama, todas as noites, resmungando para mim mesmo, como um autômato: *Por que ninguém me contou como seria? Por que não fui avisado? Posso mudar de ideia sobre essa história de ser pai?*

Lembro-me da raiva que senti pensando que haviam me contado uma história da carochinha, de que ser pai seria fácil, divertido, uma experiência gostosa e maravilhosa, feita de momentos comoventes, verdadeiras cenas de cinema. Eu me senti vagamente irritado pelo fato de não ter sido adequada e honestamente preparado por outros representantes do sexo masculino, para essa nova etapa da minha vida. Mas o fato é que... isso já era esperado. Afinal, também foi um representante do sexo masculino que me deixou acreditar, quando jovem, que despedidas de solteiro eram superdivertidas, boates de *striptease* eram locais elegantes e sofisticados e que beber até cair era um jeito excelente de passar a noite.

Tornar-se pai é um choque para o sistema. Não é como comprar um carro novo ou um cachorro. Por isso, decidi escrever para lhe dar a verdade, a essência, o panorama completo, a visão dos simples mortais sobre o assunto.

Terceiro: estou convencido da importância da paternidade como instituição. Nossa sociedade precisa de bons pais. Nossas crianças precisam de bons pais. Que causa pode ser mais nobre para um homem do que se envolver ativamente no processo de preparar um membro da próxima geração para exercer seu papel no mundo? Nós, pais, passamos muito tempo sentados no banco de trás dessa jornada que é ter filhos!

Fico feliz quando vejo que muitos homens, atualmente, assumem um papel ativo e participativo na vida familiar e fazem isso muito bem. Infelizmente, ainda existem em nossa sociedade muitos representantes do sexo masculino que acham que criar filhos é coisa de mãe. Acham que seu papel é garantir comida na mesa e tomar cerveja. Isso é trágico. Até onde eu posso perceber, as únicas coisas que os homens não podem fazer, com relação aos filhos, são:

- engravidar, para começo de conversa;
- levar o bebê na barriga por nove meses;
- parir;
- amamentar; e
- lembrar-se dos nomes de todas as crianças do parquinho.

Conheço pais que, infelizmente, não querem saber dessa coisa de família, pais que parecem estar sempre ausentes, trabalhando, pais que estão sempre ocupados e tão envolvidos com a própria vida que apenas passam por seus filhos no corredor da vida. Eles não têm tempo para a família.

Outro dia, eu estava folheando revistas antigas quando encontrei um artigo sobre a nova geração de *workaholics* da Austrália – homens que parecem viver para o trabalho e têm pouco ou nenhum tempo para os filhos. Acho que, um dia, esses homens vão acordar, olhar para os filhos – que nem os conhecem – e perceber, tarde demais, que a vida é mais do que somente trabalho.

> INFELIZMENTE, AINDA EXISTEM MUITOS HOMENS QUE ACHAM QUE CRIAR FILHOS É COISA DE MÃE.

Por isso, com este livro, espero ajudar alguns caras a perceber como é importante e gostoso ser chamado de "papai".

Mas como é, exatamente, "ser papai"?

Boa pergunta, mas não vou revelar o segredo aqui no prólogo, senão, você não vai ler o restante do livro.

Infelizmente, nós, homens, não podemos frequentar o supletivo para tirar um "Diploma de Paternidade", e, até onde eu sei, não há cursos de graduação em Paternidade, nas faculdades. E fazer um estágio com o vizinho, que tem um bebê de três meses, provavelmente não será viável.

Então, como é que nós, futuros papais, podemos "brincar com o fogo" de criar filhos sem nos queimarmos?

Quando minha mulher, Meredith, engravidou da nossa primeira filha, Rachael, eu fiquei cheio de dúvidas que precisavam de respostas. Havia planos a serem traçados, coisas a serem feitas, e eu não sabia nada sobre crianças. E nada é *nada* mesmo. Eu precisava de informação. Muita informação. E as melhores fontes de informação, com certeza, eram os sujeitos que haviam desbravado esse território antes de mim. No trabalho, ou nas reuniões sociais, eu encurralava algum desses pais desavisados e o crivava de perguntas sobre as particularidades da gestação e do parto, sobre fraldas, mamadeiras e sobre ser pai.

Eu vivia rondando as livrarias, procurando livros decentes que me preparassem para ser pai. Infelizmente, parece que esses livros são escritos, na sua maioria, exclusivamente para mulheres (era óbvio porque a capa sempre mostrava fotos com foco difuso de modelos com uma barriga feita de travesseiro, de perfil, contra um fundo de janelas embaçadas pelo frio). Encontrei alguns livros escritos só para pais, mas eram muito grandes e áridos, a ponto de me assustarem, ou eram escritos por "especialistas" com óculos de tartaruga, suéter de lã e calça xadrez.

Foi então que decidi escrever este livro.

A pergunta que você deve estar se fazendo agora é: quem é, exatamente, esse Peter Downey para me falar sobre esse assunto?

Outra boa pergunta.

Bem, não sou médico nem pesquisador. Não sou psicólogo infantil. Não sou obstetra ou pediatra experiente. Sou apenas um homem comum, provavelmente igual a você. Moro em um bairro residencial da periferia, trabalho cinco dias por semana, lavo meu carro nos fins de semana e gosto de alugar um DVD e pedir comida chinesa nas noites de sexta-feira.

Então, um dia, eu me tornei pai.

Um dia, eu era um cara normal, descontraído, assim como você. No outro dia, eu estava comprando fraldas e aprendendo a montar um berço de viagem.

E aqui estou eu, alguns anos depois, disposto a compartilhar com você minhas alegrias, frustrações, ideias e erros. Se isso não o convence, então posso dizer que vi muitos filmes e programas de TV nos quais apareciam pais e filhos.

Minha mensagem básica, neste livro, é que ser pai requer energia, comprometimento e envolvimento. Toma muito tempo e exige muito esforço. Não dá para fazer isso pela metade. Não dá para ser pai nas horas vagas. É muito importante que você entenda essa questão, por isso vou escrever tudo novamente.

Ser pai requer energia, comprometimento e envolvimento. Toma muito tempo e exige muito esforço. Não dá para fazer isso pela metade. Não dá para ser pai nas horas vagas.

Significa ser proativo e se envolver nas tarefas diárias que o bebê exige. Significa "sujar as mãos" e participar de todos os aspectos da vida familiar. Significa compartilhar a responsabilidade e rejeitar os estereótipos que definem a criação dos filhos como tarefa apenas da mulher. Se você ainda não entendeu, leia este parágrafo novamente.

E, antes que eu seja criticado pelo machismo inerente às páginas que se seguem, deixe-me dizer uma coisa: este livro é para homens. Eu o escrevi tendo em mente o típico homem que não sabe nada ou quase nada sobre ser pai, mas que gostaria de fazer isso benfeito.

Mas o fato de eu me concentrar quase exclusivamente no pai não significa, de modo algum, que eu considere o papel do homem mais importante que o da mulher na criação dos filhos. Criar filhos é trabalho de equipe. Mamães são tão importantes quanto papais. Não tenho nada contra as mulheres. Na verdade, gosto das mulheres.

Até me casei com uma.

Portanto, seja bem-vindo ao maravilhoso mundo da paternidade. Temos uma longa jornada à nossa frente. Uma árdua jornada. Uma jornada cheia de obstáculos, provações e sacrifícios. Mas também uma jornada recompensadora, pontuada de experiências fantásticas e momentos mágicos, que você nem imaginaria que fossem possíveis. E, depois de percorrer essa estrada, você nunca mais será o mesmo.

Portanto, boa sorte!

Você vai precisar.

CAPÍTULO 1

FOI ASSIM QUE TUDO COMEÇOU

Se ao menos eu tivesse lido o aviso na parede, dizendo: "Sua mulher está grávida! Corra! Fuja!"

SEXO E SEUS EFEITOS COLATERAIS

ATENÇÃO: O Ministério da Saúde adverte: sexo pode causar filhos.

Sexo é um bom ponto de partida para falarmos sobre a paternidade. Afinal, é aí que começa a jornada.

Pelo simples fato de você estar lendo esta página, acho que posso afirmar com segurança que nesse teste preliminar, porém crucial, você já passou. E com mérito. Por isso, e em nome da elegância, vou me abster, neste ponto, de entrar em detalhes a respeito do quanto foi divertido esse processo e daquele famoso "foi bom pra você também, amor?"

Mas você entendeu a mensagem, não é? Enquanto você fica lá, deitado, com aquela expressão de beatitude pós-coito – como nos filmes –, uma frota de mais ou menos 300 milhões dos seus espermatozoides, que zarpou de Porto Pênis, começa a primeira etapa da maratona de natação de mais ou menos 15 centímetros por todas aquelas tubulações femininas cujos nomes nunca consigo lembrar.

(Acho que nunca vou me entender com todos esses detalhes da anatomia feminina. Quando eu era adolescente e frequentava uma escola só para meninos, eu sempre ficava perplexo, na aula de ciências, com aquelas figuras do livro que mostravam a mulher cortada ao meio e tudo que havia dentro dela. Você conhece essa imagem, não? Essa mesma, a da mulher de uma perna só. Nunca consegui decorar os nomes engraçados de todas aquelas reentrâncias e canais. Na verdade, só muitos anos depois foi que eu descobri que aquele diagrama cortado ao meio era, na verdade, uma imagem de perfil, e não uma vista de cima. Talvez eu devesse ter prestado mais atenção, em vez de ficar no fundo da sala com

Paul Brinkman tentando enfiar diafragmas na cabeça como se fossem toucas de natação.)

Diagrama das partes internas da mulher...

Enfim, embora não pareçam muito para você, esses centímetros são a distância que separa esses girinos do seu porto seguro. Eles só têm alguns dias de vida, por isso não há tempo a perder. Como salmões lutando contra a correnteza, eles precisam nadar da vagina, em direção norte, até o útero e depois subir por uma das tubas uterinas, onde o óvulo está escondido. É uma verdadeira maratona olímpica, na qual só pode haver um vencedor. Não há prêmios de consolação. Se eles não ganharem a medalha de ouro, ou seja, não alcançarem o óvulo, eles serão cartas fora do baralho, para sempre. E a proporção de 300 milhões para 1 – pior que a chance de ganhar qualquer jogo de loteria do mundo – representa uma competição muito acirrada. Pense nela, basicamente, como uma prova de natação de cem quilômetros contra toda a população da Índia.

Uma hora depois, quase no final da prova (quando você, provavelmente, já estará roncando em alto e bom som, totalmente alheio à energia criativa que liberou no mundo), somente alguns milhares de espermatozoides – os mais fortes – ainda sobrevivem. Os finalistas passaram por todos os obstáculos e pelas tubulações de nomes complicados e encontraram o prêmio, o óvulo de ouro.

Explicando: não se trata de um ovo como o de galinha, cozido ou estrelado. Ele se parece mais com um pontinho. É uma célula. Um furinho de alfinete. Ou melhor, um pontinho sobre uma célula que cabe dentro de um furinho de alfinete. Em suma, ele é minúsculo mesmo. Perto dele, o ponto final desta frase parece uma daquelas bolas enormes que jogamos na praia.

Assim como os espermatozoides, o óvulo também fez a sua jornada. A mulher tem cerca de meio milhão deles armazenados nos ovários. Todo mês, na fase da ovulação, o óvulo "maduro" abandona seus irmãos e irmãs e desce por uma das tubas uterinas, como se fosse um pequenino planeta aguardando a visita de seres alienígenas dotados de caudas.

Ele fica lá, esperando.

Esperando.

Esperando.

O tempo é um fator crítico porque esse óvulo tem um "prazo de validade" de apenas vinte e quatro horas. Nas horas finais da sua jornada, todos os espermatozoides sobreviventes entram na etapa 2 do seu biatlo, que consiste, basicamente, em uma competição de cabeçadas. Cada espermatozoide encontra um local na superfície do óvulo e tenta penetrar por ali, de cabeça, girando o corpo freneticamente, como se fossem brocas furando a terra. Imagine uma bola de basquete girando, cheia de pelos ondulando na superfície. O vencedor será aquele que conseguir perfurar primeiro a parede do óvulo e entrar.

Imediatamente, acontecem duas coisas: a cauda do espermatozoide se solta e o óvulo se retrai e sofre um processo de alteração química que impede a entrada de outro espermatozoide. Isso é motivo de desapontamento para eles, eu acho; nadar todo aquele trajeto para ser eliminado na linha de chegada só porque não conseguiram cavar mais rápido. Mas é a lei da selva. Provavelmente eles ficam deprimidos e continuam nadando até morrer.

É triste.

De qualquer forma, o resultado é um óvulo fertilizado – que agora se chama "ovo" – quietinho, no seu mundo escuro e aquecido. Quase podemos imaginar a nave *Enterprise* viajando nesse universo microscópico e o Spock olhando pelo visor e dizendo: "É a vida, Jim... mas não como conhecemos."

E aí está o ovo, oficialmente fertilizado. A roda da fortuna deu mais uma volta e, embora ainda não saiba, você vai ser pai.

É o milagre da vida. O milagre do sexo. Um verdadeiro milagre.

Deus foi realmente muito inteligente ao planejar tudo isso.

Essa criança que vocês fizeram é única em todo o universo. Você e sua mulher são a única combinação na história da humanidade que poderia ter gerado esse filho. Pense nisto: sua mulher tem cerca de meio milhão de óvulos. Você tem cerca de 300 milhões de espermatozoides por ejaculação. Para facilitar o cálculo, vamos dizer que vocês façam sexo uma vez por semana, ao longo de um período de dez anos em que vocês podem ter filhos. Seu filho pode ser qualquer combinação de um espermatozoide com um óvulo. Portanto, se a minha matemática estiver correta (o que não é seguro, já que eu tirei nota 4 na prova final), então seu filho é um dentre 78.000.000.000.000.000 (78 quatrilhões) de combinações possíveis.

Deus foi realmente muito inteligente ao planejar tudo isso...

Como pais, contemplar essa verdade nos faz mais humildes. Sem entrar em questões filosóficas, é impressionante a ideia dos primórdios infinitesimais da vida humana – os primórdios da vida do seu filho. O que por enquanto é apenas um cisco vai crescer e se tornar uma pessoa, alguém com quem você terá intimidade e por quem você sentirá amor, alguém que – preciso dizer – irá mudar sua vida e apresentá-lo a um mundo que você jamais poderia imaginar.

Você vai ver esse cisco infinitesimal aprender a engatinhar, andar e falar. Ele vai fazer desenhos estranhos que você terá que colar na geladeira e ele vai dizer coisas incríveis como "por que eu não sou uma árvore?" Vai se vestir de coelhinho para a peça de teatro da escola. No Dia dos Pais, para agradar, vai levar café frio para você, na cama. Você vai se preocupar quando sua menina tiver o primeiro namorado e vai ficar acordado a noite toda porque seu filho levou seu carro emprestado e está demorando a voltar. Esse cisco vai lhe dar um prazer indescritível ("eu te amo, pai") e vai lhe causar momentos do mais puro desespero ("pai, minha conta de celular passou de mil reais..."). E, um dia, essa célula microscópica irá embora de casa e deixar você pensando, tentando se lembrar de como era sua vida sem ela.

> SEU FILHO IRÁ MUDAR SUA VIDA E APRESENTÁ-LO A UM MUNDO QUE VOCÊ JAMAIS PODERIA IMAGINAR.

ENJOOS

Com certeza, nesse estágio, você ainda não sabe que está se encaminhando para ser pai. A questão é que não aparece no noticiário da noite:

"Em primeira mão... boletim extraordinário... sua mulher engravidou ontem, após um episódio que está sendo classificado como uma orgia de sexo noturno. Os primeiros relatórios indicam que a mãe e o pai estão em condições estáveis..."

Tampouco existe um papagaio que bate o bico na sua janela e grita: "SUA MULHER ESTÁ GRÁVIDA! SUA MULHER ESTÁ GRÁVIDA! CURRUPACO, PAPACO, PACO!"

Mas há um segredinho. Um sistema de alerta, digamos assim. O nome pomposo que os médicos dão a esse sinal é "êmese gravídica", mas a maioria das pessoas chama isso de "enjoos da gravidez".

Um dia, há alguns anos, quando ainda éramos só nós dois, levei Meredith ao salão de beleza para cortar o cabelo. O salão estava cheio de mulheres fazendo permanente, escova e outras coisas que escapam à minha compreensão e estão fora da minha esfera de conhecimento. Tudo ia bem até que minha mulher se levantou e correu para o banheiro. Passamos alguns minutos perplexos, todos nós, com os ruídos assustadores de engasgos e espasmos, lindamente amplificados pelas paredes e pelo piso de cerâmica do salão.

Na ocasião, julguei que esse mal-estar violento e súbito fosse o resultado do jantar que eu havia preparado na noite anterior. Eu acho que nunca tinha ouvido falar desse tal "enjoo matinal" até então. Mas esse enjoo foi justamente o toque de trombeta que anunciou o fim de uma era na minha vida e o início de outra – a era da paternidade.

Se ao menos eu tivesse lido o aviso na parede, dizendo "Sua mulher está grávida! Corra! Fuja!"... Mas, nessa época, eu era ingênuo e ignorante a esse respeito. Sabe como é, por fora, minha mulher parecia estar bem e normal. Na TV, eu havia aprendido que as mulheres grávidas eram gordas e desajeitadas, que caminhavam como patas e se vestiam com barracas de acampamento. Mas minha mulher era esbelta e atraente, seu andar era sensual e ela usava jeans; portanto, ela não estava grávida.

O problema é que, *por dentro*, aquela combinação do óvulo com o espermatozoide estava trabalhando ativamente no seu coquetel humano. E não se pode ter alguém crescendo dentro do próprio corpo sem que isso tenha algum efeito no seu estado geral. A presença do ovo fertilizado provoca, na mulher, a secreção de um hormônio incômodo chamado beta hCG. O sangue e o organismo de Meredith estavam em quinta marcha, e um pequeno efeito colateral disso era que ela sentia náuseas.

As pessoas costumam chamar esse problema de "enjoo matinal" ou "enjoo de grávida". É como ficar enjoado em uma viagem de carro, só que continua quando você sai do carro. A sensação é parecida com a de alguém que come um almoço de frutos do mar, uma dúzia de ovos crus, um sundae de chocolate e alguns doces e depois vai para a montanha-russa. Geralmente, esses enjoos duram três meses, mas em alguns casos eles perduram durante toda a gravidez. O termo "enjoo matinal" é um tanto enganoso, porque eles podem ocorrer ao longo de todo o dia. Para ser exato, deveriam ser chamados "enjoos da manhã, tarde e noite", mas fica meio estranho e complicado de se dizer.

> UMA MULHER QUE ESTÁ GERANDO OUTRO CORPO DENTRO DELA CERTAMENTE SOFRE DIVERSAS ALTERAÇÕES EM SEU ESTADO GERAL.

Só há um aspecto positivo dos enjoos. Existem pesquisas que mostram que mulheres que enjoam na gravidez têm menos casos de abortamento. Talvez o enjoo seja um sinal de que o ovo fertilizado se implantou com sucesso. Essa interessante estatística, no entanto, não serve de conforto para a sua mulher quando ela está vomitando em um vaso de plantas do shopping.

CONFIRMANDO O ÓBVIO

Algumas mulheres sabem que estão grávidas semanas depois da concepção. Seus sistemas biológicos começam a emitir sinais de alarme, elas logo somam dois mais dois e chegam ao resultado certo.

Mas também se ouvem histórias de mulheres que foram ao médico suspeitando de um problema de vesícula e descobriram que o problema de vesícula tinha olhos, mãos, um coração que batia forte e que já estava com oito meses. Obviamente, seus sistemas biológicos não emitiram sinais audíveis. Elas somam dois mais dois e acabam com cinco.

Entretanto, várias mamães que eu conheço garantem que quase toda mulher sabe quando está grávida. "É um tipo de intuição", dizem elas. Como eu não sou mulher, não posso atestar a validade desse comentário, mas acho que deve haver um momento na gestação em que a mulher começa a suspeitar de que algo esteja ocorrendo na casa de máquinas. Talvez seja a falta da menstruação, talvez sejam os seios doloridos, talvez seja o mau humor ou o cansaço súbito. Talvez seja essa inesperada tendência a vomitar, mesmo que o marido não tenha cozinhado o jantar na véspera. Ou pode ser apenas o famoso "sexto sentido".

Quando a mulher chega a esse ponto, entretanto, tudo começa a esquentar. Ela poderá ir ao médico para confirmar suas suspeitas, por meio de exames, ou fazer um teste de gravidez em casa. Esses testes são 99% confiáveis e devem ser feitos, de preferência, logo cedo, ao acordar.

Como é fantástica a ciência moderna! O teste de gravidez é algo impressionante, digno de ser visto. Ele mede o nível de beta hCG na urina da mulher, que indica a presença do possível intruso. Há vários tipos de testes disponíveis nas farmácias, mas todos utilizam, basicamente, um pouco de urina aplicado sobre uma fita reagente. Alguns são feitos colocando-se a tira sob o jato de urina, para os que gostam de viver perigosamente.

Meredith usou um teste que parecia um cartão de crédito. Quatro ou cinco gotas de urina foram aplicadas sobre um dos cantos do cartão. A urina escorreu para o outro canto e, no trajeto, passou por uma pequena janela na qual, cinco minutos depois, apareceu uma cruz, confirmando a suspeita. Nós íamos ser pais.

Você até pode guardar esse cartão ou tira de teste na sua carteira e mostrar aos amigos no bar ou na mesa do jantar, para puxar conversa, desde que todo mundo aguente o cheiro.

ATENÇÃO PARA A NOTÍCIA

Até onde eu sei, existem dois tipos de pai. Primeiro, temos os que *estavam tentando* ser pais. "*Estamos tentando* há seis meses", diz ele animado aos amigos tomando uma cerveja depois do trabalho. Essa história de tentando é um tremendo eufemismo. Basicamente, isso quer dizer que eles estão fazendo muito sexo. Ele discutiu o assunto com a esposa e os dois resolveram, há muito tempo, que iriam *tentar* fazer acontecer. Para alguns casais, esse é um processo bem longo, complicado e frustrante – envolve termômetros, calendários e consultas médicas, às vezes até uma consulta com aquele médico que entrega um potinho ao marido e diz "Terceiro cubículo à direita, por favor".

O que interessa é que esse tipo de pai e sua mulher vêm se esforçando para engravidar; querem ser pais, mãe e pai, mamãe e papai. Ele está ansioso, aguardando animado, fazendo planos e se preparando para a menstruação que não virá e para aquelas palavras mágicas sussurradas "Querido, estou grávida".

Mas há o outro tipo de pai. Aquele que *não está tentando* ser pai. (Isso não significa que ele não esteja fazendo muito sexo.) Talvez, no calor da paixão, ele e a mulher tenham se esquecido dos cuidados de contracepção ou talvez o contraceptivo tenha falhado. Talvez eles tenham se esquecido, simplesmente, de que sexo *causa* filhos. Talvez eles só quisessem ver o que ia acontecer. Ou, quem sabe, ele é apenas estúpido mesmo.

O que interessa é que esse tipo de pai gosta de fazer sexo basicamente pelo prazer de se relacionar, e não para "perpetuar a espécie". Ele *não está* ansioso, *não está* aguardando animado, fazendo planos ou se preparando para a menstruação que não virá e para aquelas palavras mágicas sussurradas "Querido, estou grávida".

Agora, o fato é que esses dois sujeitos têm duas coisas em comum:

- em poucos meses, eles serão pais; e

- logo virá o dia em que eles receberão essa importante notícia.

Nesse momento específico, eles provavelmente terão reações bem distintas à notícia da paternidade que se aproxima. Examinemos os diferentes cenários:

O **pai do tipo I** – o que *estava tentando* – poderá viver uma cena típica de novela de televisão. Ao chegar em casa, após um dia atarefado no trabalho, ele joga a pasta no sofá e desabafa: "Maldita matriz! Aquele contrato no qual estou trabalhando há meses só vai ser aprovado em novembro. Como se eu já não tivesse o que fazer perto do Natal."

Ao que a mulher, descendo as escadas, responde: "Não faça muitos planos para o final do ano."

(Nesse momento, ouve-se o som de violinos ao fundo e ele olha para ela cheio de esperança.)

"Quer dizer que..."

"Sim, querido, fui ao médico nesta tarde."

(Os violinos em crescendo fazem contraponto com violoncelos e violas que surgem harmoniosos.)

"Quer dizer que..."

"Sim, meu amor. O teste foi positivo."

(A música aumenta. É uma sinfonia agora.)

"Quer dizer que..."

"Sim, meu docinho de coco... você vai ser... (e surge a palavra mágica, enquanto toda a cena gira incontrolavelmente, acompanhada de belos temas orquestrais) PAPAI."

Ele sente que seus pés estão se erguendo do chão. Logo ele estará flutuando acima das árvores e girando entre as nuvens. Ele abraça forte a mulher e experimenta uma sensação interior de calor e realização. É um lindo momento, marcado por melodias sinfônicas e fogos de artifício.

O **pai do tipo II** – aquele que *não estava tentando* – talvez passe por uma experiência um pouco diferente. Ao chegar em casa, após um dia atarefado no trabalho, ele joga a pasta no sofá e desabafa: "Maldita matriz! Aquele contrato no qual estou trabalhando há meses só vai ser aprovado em novembro. Como se eu já não tivesse o que fazer perto do Natal."

Ao que a mulher, descendo as escadas, responde: "Não faça muitos planos para o final do ano."

(Nesse momento, ouve-se o tema de *Tubarão*, ameaçador, ao fundo, enquanto ele olha para ela desconfiado.)

"Do que você está falando?"

"Querido, fui ao médico nesta tarde."

(O tema de Tubarão em crescendo faz contraponto com a batida ritmada do tema de Psicose.)

"E daí?..."

"Eu fiz um teste e foi positivo."

(Aumenta a batida dos tímpanos e outros instrumentos de percussão desagradáveis.)

"Quer dizer que..."

"Eu estou grávida. Você vai ser... (e toda a cena gira vertiginosamente acompanhada do ruído ensurdecedor de canhões, vidros quebrados e sirenes) PAPAI."

Ele sente que foi golpeado na testa com um taco de beisebol e que está caindo para trás, em um precipício cheio de lava fumegante e cacos de vidro. Sua cabeça gira e seus joelhos fraquejam. Ele abraça forte a mulher para não cair e pode experimentar uma sensação interior de calor quando perde o controle da bexiga. Sua boca fica aberta e, quando ele tenta falar, só consegue produzir guinchos e balbucios ridículos.

Essa situação requer muito tato. Por exemplo, existem coisas que não devem ser ditas nesse momento, como:

Como é que isso foi acontecer?
Você viu o controle remoto?
Tenho que ir ao treino de futebol.
E daí?

Não temos condições financeiras.
O que temos para o jantar?
Tudo bem, mas não espere que eu me envolva.

Todos esses comentários podem ter sido feitos pelos sujeitos dos bons e velhos tempos. Mas, vamos lá, nós estamos no século 21 e somos politicamente corretos.

Não somos?

Aliás, quando a sua mulher disser que está grávida, NÃO DIGA – aconteça o que acontecer –, NÃO DIGA "Querida, é melhor você se sentar" – é só na televisão que dizem isso.

Se você é um pai do tipo I, provavelmente estará se sentindo muito bem. Se você é um pai do tipo II, não se sinta tão mal. Eu já fui um pai do tipo II três vezes, e isso não me fez mal. Não que minha mulher e eu fôssemos irresponsáveis ou estúpidos ou qualquer coisa do tipo. Meredith estava usando a pílula havia algum tempo e, por vários motivos pessoais, que, francamente, não são da sua conta, nós dois decidimos que ela deveria parar. Basicamente, achávamos que a natureza deveria seguir seu curso e que, quando ela engravidasse, se isso acontecesse, estaria tudo bem.

Aconteceu no dia seguinte.

Vocês podem me chamar de ingênuo, mas eu achava que a gravidez era algo bem difícil de acontecer e que o nosso "curso natural" ainda iria demorar um tempo. Segundo as pesquisas, mesmo quando o espermatozoide e o óvulo se encontram no momento e nas condições ideais, só existe uma chance de 30% de haver fertilização. Mas nós acabamos descobrindo que somos tão férteis quanto o delta do Nilo e só precisamos beber café na mesma xícara para que Meredith comece a ter enjoos matinais.

Eu me recordo claramente do dia em que fiquei sabendo que minha vida estava prestes a sofrer uma mudança radical de direção. Eu estava trabalhando no escritório, no final do expediente, esperando Meredith vir me buscar. Era o dia 8 de março.

Ela havia usado o carro naquele dia porque precisava ir ao médico. Desde aquela emergência no salão de beleza, ela não estava exatamente normal. Era um motivo de preocupação para mim.

Ela entrou na sala dançando, parecendo totalmente normal e controlada e disse "oi". Falamos sobre amenidades e depois saímos para a rua, enfrentando uma chuvinha fina que não parava havia meses. Minha mente estava repleta de pensamentos voltados para o jantar. O que teríamos? Pizza? Não, provavelmente frango... ou aquelas coisas mexicanas, como se chamavam mesmo?

"Peter, o que você pretende fazer no dia 24 de outubro?", ela perguntou.

"Nada", eu respondi, olhando de esguelha para ela. "Por quê? O que você está planejando?"

Era isso! *Tacos*.

"Você vai ser pai", ela disse com um risinho astuto.

Ou seriam *nachos*?

Pai.

Nachos.

Pai.

Não, não são *nachos*. São os moles, enrolados... hum... Ah, sim, *burritos*!

Pai.

A palavra ficou girando na minha cabeça por alguns segundos, tentando desesperadamente se agarrar a alguma coisa, mas só encontrava livros de receitas culinárias. Sanduíche quente, talvez?

"O que você disse?" era o que eu queria perguntar, mas da minha boca só saiu algo parecido com "uu qui vo cediss?"

E lá vinha aquela palavra novamente. "Você vai ser pai", disse ela. "Estou grávida. Nós vamos ter um filho."

Houve um momento de silêncio. Ouviu-se um grilo.

"Você vai ser pai."

Ela sorria. Calma, controlada.

Eu tremia. Chocado, o rosto vermelho.

O tempo parou. Minha mente era um caos.

Pai.

A palavra foi lentamente sedimentando.

Pai? Esses não são aqueles sujeitos que você vê na estrada, durante as férias escolares, ao volante de uma perua cheia de colchões, bicicletas e quinquilharias domésticas e que olham para você pelo vidro do carro todo marcado de dedos com uma expressão meio desesperada...? Aquela expressão de quem está há oito horas ouvindo as crianças cantarem as mesmas músicas sobre coelhinhos e trenzinhos?

> "PAI? EU? MEU PAI É PAI! O PAI DELE É PAI! EU SOU APENAS UM FILHO!"

PAI? Esses não são aqueles sujeitos que você encontra na locadora, com uma cara de exaustos, cercados por seres diminutos, de nariz escorrendo, que choramingam, choramingam, choramingam, dizendo que querem ver o *Rei Leão* novamente?

Pai? Eu? Meu pai é pai! O pai dele é pai! Eu sou apenas um filho. Pior – sou apenas um garoto, uma criança. Mal saí de casa. Nem sei passar minhas camisas direito. Pânico! Trocar fraldas? Eu?

SOS... SOS... Estou afundando!!! Como vamos dormir à noite? Como vamos pagar a casa? E aquela viagem que vínhamos planejando?

E o jantar?

Nesse momento, um dos meus alunos passou por nós. "Olá, professor, como está?"

Se você soubesse como eu estou, cara, pensei. Se você soubesse...

Jantamos as sobras do dia anterior.

COMO VOCÊ SE SENTE?

Esse foi meu primeiro contato com o maravilhoso mundo da paternidade. Eu vinha navegando pela vida calmamente, tendo tudo sob controle e seguindo à risca o "plano". Nossa vida de casal jovem evoluía bem e nosso extrato bancário mostrava que estávamos, aos poucos, nos aprumando. Em questão de segundos, minha vida escapou totalmente ao meu controle e passou a descrever uma curva tangencial bizarra e inesperada. Nosso futuro subitamente mergulhou em um abismo de lugares novos e inexplorados.

Alguns homens se sentem animados e felizes com a notícia de que vão ser pais. Alguns ficam "no mundo da lua". Eu senti várias emoções ao mesmo tempo.

A primeira delas foi *culpa*. Eu me senti culpado por não estar extasiado. Culpado por não ter imediatamente abraçado minha mulher dizendo "eu te amo" ou algo do gênero. Nada se passara como nos filmes. Por que eu não me sentia... *paternal*? Onde estava a orquestra sinfônica? Para ser franco, levei algum tempo para me acostumar com a ideia.

De certa maneira, eu também estava *excitado*. Eu não sabia bem o que me aguardava, mas a notícia trouxe aquela sensação de expectativa, de tensão nervosa típica de quando sabemos que algo grande está para acontecer. Era a mesma sensação que eu tivera na infância, esperando para entrar no trem fantasma enquanto ouvia os gritos de pavor de quem já estava lá dentro.

Fiquei mudo com a grandiosidade desse momento e achei que devia dizer alguma coisa filosófica e criativa. Em uma espécie de câmera lenta, coloquei a mão sobre o estômago de Meredith e balbuciei algo pomposo sobre o fato de, alguns centímetros abaixo, sob a pele, estar se formando uma nova vida.

> EXCITAÇÃO, MEDO, CULPA: VOCÊ PODERÁ SENTIR TUDO ISSO AO DESCOBRIR QUE VAI SE TORNAR PAI.

"Não", disse ela, movendo minha mão, "alguns centímetros abaixo, sob a pele, está minha bexiga. O bebê está *aqui*."

Outro sentimento que tive foi *medo*. Senti medo no oco do estômago e o gosto veio na minha boca. Fiquei apavorado com essa coisa imensa chamada *paternidade*, que agora vinha na minha direção a toda velocidade como um trem desgovernado. Tive pavor do desconhecido. Eu não sabia nada sobre bebês. E nada é *nada* mesmo. Eu nunca havia gostado de colocar os filhos dos outros no colo. Para falar a verdade, ainda não gosto.

Não que eu fosse contra a ideia de ser pai. É que ela me pegou de surpresa, foi só isso. O que eu quero dizer é que eu não suspeitava de que Meredith estivesse grávida. Eu não havia percebido nenhum sinal, nenhuma pista do que estava para ocorrer. Por isso eu fiquei chocado, por isso eu me senti pouco à vontade com esse acontecimento que escapava totalmente dos planos cuidadosamente traçados por nós, um típico casal jovem de classe média em fase de ascensão. Eu nem conseguia compreender exatamente o significado das palavras "você" vai ser "pai". Eu sabia ensinar *Hamlet* e preparar sopa *thai*. Mas um bebê? É brincadeira! Parecia algo grande e aterrador.

E uma mudança muito grande *na minha vida*.

Conversando com vários homens desde então, eu descobri que essa experiência não é tão incomum assim. Acabei percebendo que não há problema em ficar em estado de choque ou sentir culpa ou o peso da responsabilidade. Você pode se sentir fora do chão e apavorado. A notícia da paternidade é a iminência de algo grande e aterrador, e não algo que se pode digerir e com o que se pode lidar em poucos minutos ou aprender em historinhas divertidas de revistas de sala de espera de consultório médico.

Também não seja tão autoindulgente a ponto de esquecer que sua mulher também vai ter um bebê. Ah, sim... Agora você se lembrou disso. Talvez ela esteja passando pelos mesmos sentimentos. E, além deles, ela ainda precisa lidar com a ansiedade da possível desordem que ocorrerá na sua vida profissional, com nove meses de desconforto físico que terminam no parto, um processo extremamente doloroso, com o fato de ter de amamentar no meio da noite e com meses de pura exaustão.

Portanto, converse com sua mulher. Discuta seus medos, seus sentimentos e suas preocupações. Compartilhe expectativas e conceitos. Comunicar-se e expressar seus sentimentos é uma ótima maneira de começar a implantar a filosofia do trabalho em equipe que caracteriza o exercício da paternidade, mesmo quando a gravidez mal começou.

E lembre-se de que números às vezes ajudam a tranquilizar. Lembre-se de que quase todo pai que você conhece (inclusive o seu) provavelmente se sentiu um peixe fora da água, exatamente como você está se sentindo. Nenhum pai que se conheça nasceu para esse papel; é um papel para o qual você precisa ser treinado. Pouco a pouco. Dia após dia. E, se milhões de outros caras no planeta podem fazer isso, você também pode.

> Converse com sua mulher, discutam medos e preocupações, compartilhem expectativas.

Ninguém espera que você se torne um paizão instantaneamente. Não há como você se tornar um expert num piscar de olhos. Mesmo que você seja totalmente estúpido e ignorante no assunto, um caso perdido quando se trata de crianças, não importa. Você aprenderá.

Eu aprendi.

Você vai ficar surpreso quando perceber como você se acostuma rapidamente à ideia de ser pai. E, depois que você se recuperar do choque, é hora de agir.

Há muito a ser feito e você só tem alguns meses.

ANUNCIANDO AO MUNDO

Então, onde estávamos mesmo? Para resumir, você:
- fez sexo que produziu um filho;
- descobriu que seu filho virá ao mundo dentro de alguns meses; e
- conseguiu se recuperar do choque inicial.

A próxima etapa pode ser agradável ou assustadora, dependendo:

- de como você lidar com ela; e
- do quanto *e se* a família e os amigos da sua mulher realmente *gostam* de você.

Estou falando sobre o momento de *anunciar ao mundo* a chegada do bebê.

Registrar as várias reações da família e dos amigos – gritos, desmaios, riso histérico, soluços, fraqueza nas pernas, ares de pouco interesse, etc. – pode ser uma fonte de grande divertimento e um ótimo assunto para conversas ao redor da mesa por muitos e muitos anos. Mas, antes de sair contando a todos, você deve levar em conta alguns detalhes.

Em primeiro lugar, não conte nada muito cedo. É importante que você e sua mulher tenham tempo suficiente para se acostumarem à ideia de serem pais antes que os outros fiquem sabendo. Espere alguns dias. Espere algumas semanas. Não há pressa. Depois que as pessoas souberem, elas vão começar a olhar para vocês com outros olhos. Todos vão querer lhe dar conselhos, falar *ad nauseum* sobre como é ter filhos, chamá-los para jantarem e tricotar casaquinhos e outras coisas mais. As conversas serão dominadas por perguntas desagradáveis e longos relatos que podem ser horripilantes ("Já lhe contei sobre a cesariana de emergência do Jan?"), nojentos ("Aí, o Scottie arrancou a fralda dentro do carro e, quando paramos, duas horas depois, todo o banco de trás estava lambuzado de...") ou simplesmente entediantes ("Mas, veja, uma das melhores características deste carrinho é o pequeno fecho de velcro. Está vendo este velcro? Veja o que acontece quando eu puxo..."). Seus amigos e parentes não vão mais olhar para vocês como um casal, mas sim como "futuros pais".

Por isso, você e sua mulher devem digerir um pouco a notícia até se sentirem mais confortáveis com a ideia. Aproveitem seus últimos momentos como "casal".

Em segundo lugar, notícias sobre o futuro nascimento de um bebê se espalham mais rapidamente que a peste bubônica. Pesquisas indicam que, a partir do momento em que você conta o segredo para a primeira pessoa, são necessários apenas quarenta e cinco segundos para que todas as pessoas que você conheceu na vida fiquem sabendo que você vai ser pai. Você entra com o carro no posto de gasolina e um sujeito que está na outra bomba, e que você jura nunca ter visto antes, pisca para você e diz: "E aí, cara, eu soube que a sua mulher está em estado interessante. Parabéns!"

Esse é o caso, particularmente, se você tem um daqueles amigos que adoram ser o jornalzinho do bairro. Você entende de que tipo eu estou falando, não? Assim que ele ouve qualquer notícia que cheira de longe a fofoca ou que tem a ver com fatos marcantes (ex.: noivado, nascimento, gravidez, divórcio, demissão, resultados de exames constrangedores, etc.), ele toma para si a missão de divulgar a informação para todos os nomes do caderno de endereços. Essa pessoa é do tipo capaz de digitar um "torpedo" no tempo que leva para você dizer "Vamos ter um...".

Essa pessoa deve ser a última a saber.

Se você quer contar a notícia pessoalmente em vez de deixar que as pessoas fiquem sabendo por fofocas, deve programar esse anúncio com precisão militar. Uma vez que tenha decidido divulgá-la, faça-o *rapidamente*. Senão, a surpresa será estragada e todos irão saber antes da hora.

Em terceiro lugar, existem questões políticas a ser consideradas. Em certas famílias, há uma "ordem hierárquica" para divulgação de informações e, se você negligenciar esse aspecto, pagará caro pelo resto da vida. Você sabe do que eu estou falando. Se você contar ao vizinho antes de contar à sua sogra, você comerá o pão que o diabo amassou. Como um elefante, ela nunca esquecerá. (Preciso deixar claro que não considero *minha* sogra, de forma alguma, parecida com um elefante.)

Enfim, uma das melhores coisas das boas notícias é justamente contá-las às pessoas e foi isso o que nós fizemos.

Primeiro, meus pais. Pedimos que eles se sentassem no sofá. Se eu fosse um vidente, eu teria lidado melhor com a situação. Não sabendo como abordar o assunto sutilmente, apontei para Meredith um dedo acusador e, com uma cara de menino que acabou de "aprontar" na escola, lancei um "Ela está grávida!"

As pernas da minha mãe mostraram um discreto tremor involuntário e todo o corpo estremeceu de leve. Meu pai, repetindo seu comportamento do dia em que anunciamos nosso noivado, ficou sentado, batendo os dentes e olhando fixamente para a frente. Quando conseguiu se mover, vários minutos mais tarde, puxou Meredith para ele e indicou seus joelhos, balbuciando "Venha sentar aqui".

Em seguida, demos a notícia à minha tia-avó, de 90 anos. "VAMOS TER UM BEBÊ!", gritei no ouvido dela.

"Não, obrigada, não quero ver TV", ela retrucou, sorrindo.

Minha sogra se manteve bem calma. Contamos a ela no *hall* de entrada do prédio, quando ela chegava do trabalho carregando sacolas de compras. Pensei que ela fosse deixar tudo cair no chão, mas fiquei desapontado.

Depois, vieram os amigos. Uma das nossas amigas saltou sobre a mesa, gritando, para nos agarrar, enquanto o marido estremecia todo. Outro grupo de amigos abriu imediatamente uma garrafa de champanhe quente. Um amigo ficou com a mandíbula travada, sem conseguir falar por vários segundos, outro entrou em estado de choque e tudo o que ele conseguia repetir era "Uau!" Alguns dos meus amigos menos intelectualizados me apertaram as costelas e disseram, entre risinhos: "Vocês dois, hein? O que vocês andaram fazendo?" *Pois é, rapazes, é isso aí.*

DESMITIFICANDO

Antes de continuarmos explorando a ideia de paternidade, acho que chegou o momento de derrubarmos alguns mitos. Muitas das expectativas que eu tinha, como pai de primeira viagem, acabaram se revelando pura ficção. Em consequência, a realidade da situação foi, de certa maneira, uma bofetada. E por quê? Porque, para muitos de nós, a principal fonte de informação sobre vários aspectos do universo é aquela terrível caixa de fazer lavagem cerebral, que fica no canto da sala – a televisão.

Infelizmente, a televisão se mostrou um péssimo professor em muitas iniciativas da raça humana. O principal problema é que muito do que vemos na televisão a respeito da vida só acontece no reino mágico de fantasia da TVlândia. Se você achar que está vendo a realidade na tela, vai acabar se metendo em encrenca.

> MUITAS DAS EXPECTATIVAS QUE EU TINHA, COMO PAI DE PRIMEIRA VIAGEM, ACABARAM SE REVELANDO PURA FICÇÃO.

Por exemplo, sobre sexo. Ligue a TV em qualquer momento do dia ou da noite e lá estará ele. Quando eu me casei, levei comigo a esperança adolescente de que, quando eu voltasse para casa após um dia de trabalho duro, minha esposa viria me receber na porta vestida em uma lingerie vaporosa, com uma garrafa de champanhe na mão e uma rosa entre os dentes. Cada noite seria uma orgia, com candelabros e prazeres de proporções épicas.

Não foi assim. A TV mentiu.

O mesmo ocorre com a violência. A TV diz que uma gangue de marginais treinados em artes marciais pode espancá-lo com tacos de madeira e você só vai sair meio desconjuntado. A TV diz que, quando você leva um tiro, você faz uma cara de dor, mas consegue se levantar em meio ao tiroteio. E já devo ter visto uma centena de garrafas se partirem sobre uma centena de cabeças nos filmes de TV. Na vida real, o que se parte não é a garrafa.

A televisão também mostra algo bem diferente da realidade quando se trata de gravidez, parto e, obviamente, ser pai. As mulheres grávidas, na vida real, nem sempre se arrastam, gemendo, com as mãos nas costas, nem afundam, desajeitadas, na poltrona depois de cada dois ou três passos. Embora o famoso "desejo" por alimentos estranhos seja um componente normal da gravidez, não é uma coisa tão dramática, como aquelas cenas em que o marido é acordado no meio da noite e tem que pegar o carro e sair à procura de anchovas, alcaçuz ou picles. Seu trajeto até a maternidade, no dia do parto, dificilmente será um daqueles episódios de direção em alta velocidade, com escolta policial e lances de comédia pastelão. Provavelmente, sua mulher não será empurrada na maca pelos corredores do hospital, enquanto você corre ao lado, segurando sua mão e jurando amor eterno. As mulheres nem sempre dão à luz com as pernas para o alto e, lamento desapontá-lo, mas nem sempre é preciso usar avental, gorro e máscara para assistir ao parto. Também não haverá aquela troca de frases criativas e inteligentes entre você e sua mulher, enquanto ela geme e se espreme para ter o bebê. Devo dizer, ainda, que nunca estive em um hospital que colocasse todos os bebês enfileirados, lado a lado, como numa vitrine, para exposição aos familiares. E, se você tentar comemorar o acontecimento acendendo um charuto na sala de espera, será espancado com aquelas "comadres" de metal pelas enfermeiras.

Se você fica assistindo à TV para ver exemplos de como ser pai, desista. Os pais da TV pertencem a duas categorias, ambas fantasiosas e, de certa forma, ridículas. A primeira é a do **superpai**. É aquele que tem um sorriso compreensivo e uma incrível sabedoria. Resolve todos os problemas da família com algumas frases feitas, frases de pai, e tudo fica em paz novamente. Sempre tem tudo sob controle, é altruísta e desprendido. Basta se lembrar de alguns seriados como *Skippy*, *Happy Days*, *Bonanza*, *Os Waltons*, de um clássico, como *Papai sabe Tudo*, ou um dos meus preferidos, *Perdidos no Espaço*, para saber do que estou falando. Com certeza, você nunca viu um desses pais fazer a cama, trocar fraldas, pôr a mesa do jantar ou perder a paciência.

O outro tipo é o **antipai**. Esses personagens são ridiculamente ineptos no papel de pai. Têm péssimas relações com os filhos e os tratam como brinquedos ou com um vago distanciamento. Se você alguma vez assistiu a *Os Simpsons*, *Everybody loves Raymond* ou *Two and a Half Men*, você sabe do que estou falando.

Mas a televisão não é a única culpada por essa enxurrada de mentiras. O mesmo acontece com muitos livros sobre o assunto da paternidade, especialmente aqueles bem grandes, cheios de fotografias coloridas e perfeitas. Não sei bem onde eles conseguem essas fotos, mas sei que não são do planeta Terra. Devem vir daquela terra da fantasia chamada Livrolândia, um lugar onde tudo é sempre politicamente correto e as pessoas têm aquele aspecto velado, de sonho.

Na Livrolândia, gestantes caminham leves em vaporosos vestidos de tons pastel. Passam os dias com as mãos carinhosas sobre a barriga e têm sempre uma expressão suave, acolhedora e contemplativa. Seus maridos da Livrolândia (que parecem modelos de anúncios de loção pós-barba ou relógios de alta precisão) abraçam as esposas com ternura, olhos nos olhos. Os pais da Livrolândia são particularmente hábeis na montagem de berços e carrinhos – nunca ficam irritados nem com as costas doendo.

Na Livrolândia, as mulheres não suam durante o parto: elas estão determinadas. Seus maridos compenetrados e competentes dão a elas todo apoio, sabendo exatamente do que elas necessitam. As mulheres dão à luz bebês incrivelmente limpos, que já vêm enrolados em mantinhas imaculadas, *sem sangue nem outros líquidos*. Alguns desses bebês nem têm cordão umbilical! Tudo são risos e lágrimas de alegria, e o amor sincero goteja do frasco de soro.

Com certeza, as estrelas da fantasia da Livrolândia são superbebês – estão sempre sorrindo, fazendo carinhas e inclinando a cabeça como filhotinhos de cachorro. Seus olhos são vivos, a pele é perfeita e a cabeça tem o formato certo. É incrível como suas fraldas nunca têm nenhum material desagradável de se ver. (Preciso dizer que devemos ser gratos por isso. Eu assisti a um vídeo que mostrava alguém trocando uma fralda cheia de algo realmente nojento. Sem efeitos especiais. Só realidade. Confesso que poderia ter passado sem essa experiência.)

Enfim, nada é assim. Os livros também mentem.

Portanto, ao trilhar o caminho da paternidade, procure não prestar muita atenção à TV ou aos livros – alguns livros, quero dizer.

Eles só servem para lhe criar problemas.

PARABÉNS

Então, você vai ser papai.

Parabéns. Fume um charuto. Tire um dia de folga no trabalho. Comemore tomando uma cervejinha com os amigos. Mas (sem querer estragar a festa) exatamente *por que você* mereceria parabéns? Sem querer ofender, o que exatamente você fez para merecer todos esses tapinhas nas costas, hein? Vamos ser francos... Você fez sexo. Foi tudo o que você fez. Lançou um pouco de esperma. Por causa disso, a paternidade já foi definida como um momento de prazer do homem seguido de nove meses de sofrimento da mulher.

A ideia foi expressa de modo bem sucinto em um estranho filme ao qual assisti, tarde da noite, há alguns anos, na TV. O título já fugiu da minha memória, junto com quase todo o conteúdo da minha educação secundária. Em uma das cenas, a mulher irritada grita para o marido:

"O que significa ser pai, para você? Um segundo apenas!"

Não, ela não estava reclamando por ele ter ejaculação precoce. Estava tentando dizer ao marido que a paternidade era um mero efeito colateral de um breve momento de prazer sexual. O diretor Ron Howard, em seu excelente e perspicaz filme de 1989, *O Tiro Que Não Saiu pela Culatra*, faz um comentário semelhante. Há uma cena em que o personagem de Keanu Reeves diz à personagem de Dianne West desaforadamente:

"Sabe... é preciso ter licença pra comprar um cachorro, licença pra dirigir um carro. Puxa, é preciso ter licença até pra pescar. Mas deixam qualquer... cretino ser pai."

Esse tipo de verdade nua e crua atinge como um soco no olho. Eu precisei fazer quatro anos de faculdade para ser professor. Para dirigir meu carro, tomei aulas e precisei passar nos exames teóricos e práticos. Mas, para ser pai, tudo o que precisei foi ter uma ereção, minha mulher e umas taças de vinho.

Essa lógica me parece estar do avesso, se considerarmos que ser pai é infinitamente mais importante e significativo do que aprender verbos ou saber a que distância da esquina você pode estacionar o carro. Qualquer homem com um órgão masculino que funcione pode se tornar um pai biológico. Mas ser um bom pai exige muito mais tempo e esforço do que a simples doação de esperma. Essa foi a parte fácil. Todo o trabalho – e a diversão – ainda estão por vir.

> QUALQUER HOMEM FÉRTIL PODE SE TORNAR PAI BIOLÓGICO. MAS SER PAI DE VERDADE EXIGE MUITO MAIS ESFORÇO.

Você não começa a usar subitamente o "boné de pai" no dia em que seu filho nasce. Mas não espere muito para começar a praticar. Se você ficar esperando o "momento certo", ele nunca virá. Você vai acabar virando um cara igual àquele do anúncio que dizia: *Lembra que na semana passada você prometeu que na próxima semana iria brincar com as crianças? Estamos na próxima semana.*

Ou, pior, você pode acabar como o pai da canção clássica de Harry Chapin, *Cats in the Cradle* (Gatos no Berço, em tradução literal), que estava sempre muito ocupado para dar atenção ao filho. Um dia, ele acordou e percebeu que seu filho havia crescido, porém era tarde demais. É uma bela canção que sempre me inspira a dedicar tempo a minhas filhas. Mas devo admitir que nunca entendi, exatamente, o que esses gatos faziam no berço, o que inclusive me causava certa preocupação com o risco de toxoplasmose.

Estou divagando. Vamos voltar ao que interessa.

Ser pai – ser um *bom* pai – é realmente importante. É uma enorme responsabilidade e um gigantesco compromisso. E não começa amanhã. Começa no momento em que você fica sabendo que sua mulher está grávida. Começa quando seu filho ainda é apenas um pequeno amontoado de células dentro do útero. É vital que você se concentre muito cedo nessa tarefa e crie bons hábitos como pai. Portanto, se você quer ser um bom pai – um pai ativo –, comece *já*.

Parabéns por ter tido o privilégio e a responsabilidade de ser pai. Mas, se quiser fumar aquele charuto, faça por merecer.

CAPÍTULO 2

A GRAVIDEZ

*Essa única célula, com um cheirinho de DNA para dar
sorte, precisa se transformar em uma pessoa completa, com
todas as partes do corpo em funcionamento.
Isso é o que eu chamo de proeza.*

AÇÚCAR E PIMENTA

Há muita gente com um talento especial para fazer perguntas idiotas. Por exemplo, no dia do seu aniversário, perguntar se você está se sentindo mais velho. Ou, quando você volta da lua de mel, perguntar se você está gostando da vida de casado. Ou quando a sua mulher pergunta: "O que você acha da minha saia nova?"

Pergunta idiota.

Quando você decide entrar na brincadeira de fazer filhos, você também não escapa dessas conversas idiotas e sem sentido. Por exemplo, a pergunta que eu mais ouvi durante as três gestações de Meredith foi: "O que vai ser? Menino ou menina?"

Acho essa pergunta idiota por dois motivos. Primeiro porque o sexo do bebê é uma loteria. O que tiver de ser será, e não existe nenhum modo de perceber intuitivamente se vai ser menino ou menina. (É claro que sua família pode ter alguma predisposição genética, como a de um amigo meu, que só produziu homens durante noventa e nove anos. E alguns casais parecem tomar medidas para influenciar o sexo do bebê, como chupar um saco de limões antes de conceber, sob a Lua cheia, olhando para o sul e recitando os *Contos de Canterbury*. Para a maioria das pessoas, o sexo do bebê é uma incógnita.)

Em segundo lugar, não importa o que *você pensa*. Você pode *pensar* o que quiser ou até *torcer* como quiser, mas isso não terá nenhuma influência sobre o fato de seu filho nascer homem ou mulher. Você pode *pensar* que sua mulher vai dar à luz uma fatia de queijo *camembert* e ainda assim isso não fará a mínima diferença.

Por isso, essa pergunta é idiota. No entanto, ela nos leva a uma questão mais interessante, que é: devemos tentar descobrir o sexo do bebê?

Quando sua mulher fizer o exame de ultrassom, a visão treinada do médico especialista poderá perceber sutilezas na imagem (ou seja, a presença ou ausência do pênis) que indicam – com razoável precisão, porém não de modo infalível – o sexo do bebê. Geralmente, o médico pergunta se você quer saber.

Nós decidimos *não* saber. Queríamos viver a excitação e o suspense de não saber. Preferimos esperar até o grande dia, quando então o médico nos diria: "Parabéns, senhor e senhora Downey, é um(a)..." Nós achávamos que *não* saber era mais tradicional, era do jeito que sempre foram os nascimentos durante séculos, e isso nos agradava.

Tenho poucos amigos que souberam o sexo dos filhos com antecedência. Uma amiga queria saber para poder decorar o quarto do bebê e ir comprando roupinhas adequadas. ("Isso é o estereótipo dos sexos!", eu disse a ela, gritando, e mentalmente tomei a decisão de comprar uma escavadeira de brinquedo para presentear a filhinha dela no primeiro aniversário.) Outra amiga quis saber porque já tinha quatro filhos: ela desejava desesperadamente uma menina e não aguentava o suspense. Se fosse para ficar "desapontada", queria lidar com esse "desapontamento" logo de uma vez (embora eu não consiga compreender como alguém pode ficar "desapontado" por ter um bebê saudável, seja menino ou menina). Outro casal de amigos queria escolher o nome com antecedência. E uma amiga descobriu o sexo sem querer, durante a sessão de ultrassom, porque o radiologista disse distraído, enquanto examinava a imagem: "Olhe só! *Ele* está chupando o polegar!"

Enfim, o importante é conversar com sua mulher a respeito e decidir com ela o que vocês preferem.

Mas, aproveitando o assunto das perguntas idiotas sobre a paternidade, as pessoas ainda me perguntam se, como pai de três mulheres, eu desejaria muito ter um filho. Bem, a resposta é não. Eu gosto de ter filhas. Pelo menos, elas não lançam um jato de xixi na sua cara quando você está trocando a fralda. Além disso, todo mundo sabe que meninas são feitas de açúcar e pimenta e de tudo o que é gostoso, enquanto meninos são feitos de sapos, lagartos e rabos de cachorrinhos, o que é bem nojento, para dizer a verdade.

Eu adoro ser pai de três meninas e só vejo alguns probleminhas nessa situação. Sei que quando as minhas jovens, preciosas, inocentes e ingênuas meninas começarem a namorar meninos atléticos e cheios de hormônios, que dirigem furgões, eu vou ter dor de estômago, só de lembrar o que *eu* costumava fazer quando namorava meninas jovens, preciosas, inocentes e ingênuas. Mas já comecei a traçar planos para quando isso ocorrer. Acho que, quando um desses meninos bater em minha casa, eu vou resolver o problema abrindo a porta para ele inteiramente nu, com a furadeira elétrica na mão. Isso deverá ajudar a separar o joio do trigo.

E espero que, quando minhas filhas decidirem se casar, a sociedade já tenha abandonado esses hábitos medievais que obrigam o pai da noiva a pagar pelo casamento. Porque, do contrário, os únicos presentes de casamento que cada uma das minhas filhas receberá de mim serão uma escada e uma mala.

Por outro lado, eu também não teria achado ruim ter um menino. Nós poderíamos ter feito coisas de homem juntos, como derrubar árvores e pintar cenas na lateral do furgão. E eu ficaria feliz pensando no dia do casamento do meu filho, porque não seria eu quem estaria obrigado a pagar. Todo mundo sabe que isso é responsabilidade do pai da noiva.

CRESCENDO SILENCIOSAMENTE

Boa parte da agitação que cerca toda essa questão de *ter filhos* é concentrada nas mães e, em menor grau, em nós, pais. Muitas ideias, páginas e páginas de livros e de internet e horas e horas de gravações em DVD tratam das várias mudanças emocionais, sociais, físicas e psicológicas pelas quais nós, os pais, teremos que passar para assumirmos nosso papel na vida. Para não falar de todos os conselhos que recebemos dos pais e, se formos realmente azarados, dos avós.

> SE OS NOVE MESES DE GESTAÇÃO PARECEM CANSATIVOS PARA VOCÊ, IMAGINE ENTÃO PARA UM BEBÊ EM DESENVOLVIMENTO.

Você ficará bastante ocupado, tentando se ajustar mentalmente à perspectiva de ser pai, tentando adaptar sua casa à chegada do bebê e certamente ficará exausto com todas as compras que terá que fazer. E no meio de toda essa agitação e autopiedade, por vezes, até nos esquecemos do astro do show: o bebê.

Se você acha que é trabalhoso, para você, resolver tudo isso em apenas nove meses, imagine como o bebê se sente. Essa única célula, com um cheirinho de DNA para dar sorte, precisa se transformar em uma pessoa completa, com todas as partes do corpo em funcionamento. *Isso* é o que eu chamo de proeza.

Portanto, vamos relativizar um pouco. Na última vez em que falamos sobre o bebê, o espermatozoide havia acabado de se unir ao óvulo na tuba uterina, e o ovo recém-formado havia iniciado sua jornada de nove meses com destino ao mundo exterior. Mas o que acontece ao longo dessa jornada? Como o bebê cresce? Quando ele cresce? Como ele é?

No começo, eu não tinha a menor ideia sobre nada disso. Até o momento em que Meredith me disse, pela primeira vez, estas palavras inesquecíveis: "Você vai ser papai", eu sabia muito pouco sobre o que acontecia no interior do útero (aliás, até a palavra me soava estranha). E também não me importava nem um pouco. Quando estudamos biologia na escola, essas coisas ocupam um lugar muito baixo na nossa lista de prioridades.

Quando se aproximou o nascimento da nossa primeira filha, eu fui buscar alguns livros do meu tempo de faculdade, mas os termos técnicos complexos me assustaram e me devolveram ao meu estado de ignorância. O mesmo aconteceu com os desenhos feitos à mão que eu via nas aulas do curso de parto. Então, apenas dois meses antes do nascimento da minha primeira filha, eu tive a oportunidade de ver algumas imagens fantásticas, feitas pelo famoso fotógrafo Lennart Nilsson, que revelavam o universo, antes escondido, do útero. Subitamente, uma luz forte se acendeu na minha cabeça. O véu da ignorância caiu e o milagre da vida finalmente ficou claro para mim.

Portanto, para todos vocês que não são iniciados nos segredos da biologia da gravidez, eis a versão de um leigo:

O Senhor Girino nada pelo túnel e... nada disso, estou brincando.

Uma vez combinados óvulo e espermatozoide, já estará determinado o sexo do seu bebê, dependendo de o espermatozoide conter um cromossomo X (menina) ou Y (menino). Os cromossomos e os genes do espermatozoide e do óvulo também já contêm toda a informação genética. Já nessa fase tão precoce, estão decididos aspectos como o comprimento dos dedos do seu filho, o formato dos olhos, o arranjo dos dentes, a cor dos pelinhos do nariz e até as doenças que ele irá herdar – tudo isso já está decidido e gravado na sequência de desenvolvimento das células. Essa programação genética pode ser marcada por características e traços seus e de sua mulher ou de qualquer dos seus ancestrais. Entretanto, isso não explica por que a maioria dos bebês se parece com Winston Churchill ao nascer.

Um dia após a fertilização, o núcleo do ovo se divide ao meio e, a partir daí, continua se dividindo, mais uma vez, mais outra vez, iniciando um processo de crescimento exponencial. Nessa etapa, o pontinho microscópico se chama *blastocisto* (apelido nada carinhoso).

Ele começa a se deslocar para baixo, na tuba uterina, e alcança o útero em três dias. Lá, ele fica rolando durante algum tempo, procurando um lugar aconchegante para se aninhar. Ele é bem exigente quanto a isso e pode levar até três dias para encontrar o ponto ideal para baixar acampamento. A implantação do ovo no útero marca o momento "oficial" da concepção e o começo da produção do hormônio beta hCG, que indica que a mulher está grávida. Depois de implantado, o blastocisto evolui para a próxima etapa do desenvolvimento e passa a ser um embrião.

> É A IMPLANTAÇÃO DO OVO NO ÚTERO QUE MARCA O MOMENTO "OFICIAL" DA CONCEPÇÃO.

O embrião continua se dividindo e crescendo até que, após cerca de uma semana, ele se parece muito com uma minúscula anêmona do mar. Ele lança apêndices e sua forma se altera em várias direções, até começar a se parecer, vagamente, com um ser humano. Duas semanas após a concepção, ele se assemelha aos restos deixados no prato de frutos do mar do seu restaurante favorito e, com cerca de um mês de vida, seu aspecto será o daquele ser detestável do filme *Alien*, com direito a cauda de cavalo-marinho e a uma cabeça comprida.

Durante todo esse tempo, essa pelota estará desenvolvendo um cérebro, nervos, ossos, vasos sanguíneos, músculos, intestinos, um coração e robustas cordas vocais (para chorar de madrugada). Seis semanas após a fertilização, começam a surgir braços e pernas, e o minúsculo coração começa a bater a 150 por minuto. Os dedos começam a crescer. O cristalino, a córnea e a íris começam a se formar no olho. Ao final do terceiro mês, o embrião será condecorado com o brevê de *feto*. Esse feto caberia na palma da sua mão e pesa o mesmo que algumas bolachas. Ele parece humano, mas eu não gostaria de topar com um desses na rua, em uma noite escura.

E esse é o seu filho. Minúsculo, sim. Estranho, sim. Mas tenha calma. Ainda faltam seis meses.

*Os dejetos do bebê saem por um canal separado,
ao longo do mesmo cordão...*

Durante esses meses, o feto ficará flutuando dentro do útero da mãe, protegido por uma espécie de casulo cheio de um líquido morno, salgado, o *saco amniótico*. O fato de estar em um ambiente aquático nos faz questionar algumas coisas, você não acha? Por exemplo, se eu vivesse em um saco cheio de líquido, eu teria vários problemas. Primeiro, fazer minhas necessidades no mesmo saco onde está minha boca não seria muito saudável. Em segundo lugar, alguém já tentou comer embaixo da água?

> VOCÊ JÁ SE PERGUNTOU COMO É QUE O FETO COME? OU COMO ELE RESPIRA?

De qualquer modo, nenhum desses problemas seria importante porque em menos de um minuto eu já estaria afogado.

Então, você fica se perguntando:
– Como é que o feto respira?
– Como é que o feto come?
– Como é que o feto se livra dos seus dejetos?

Na verdade, o feto (ou o bebê, se você preferir) não usa a boca para conseguir oxigênio ou alimento, e seus dejetos não saem pelo ânus. O que é ótimo, porque, se eles saíssem, imagine só como ficaria aquilo lá dentro! O segredo está na tecnologia desenvolvida pela

NASA para o ônibus espacial. Os astronautas que caminham no espaço usam um tubo oco, como uma mangueira, chamado *cordão umbilical*, para receberem tudo o que necessitam para manter sua vida, diretamente da nave mãe. As mulheres se apropriaram dessa tecnologia e agora a utilizam no útero.

A mãe respira e se alimenta, e todas as coisas boas, necessárias à vida, são absorvidas por sua corrente sanguínea. Os nutrientes são transferidos para o bebê por meio de uma estação intermediária, onde o saco amniótico e a parede do útero se encontram. Essa estação é a *placenta*. Embora esteja dentro de um saco, o bebê tem o próprio suprimento de sangue e a mistura desse com o sangue da mãe é desprezível. Todos os ingredientes necessários à vida (oxigênio, vitaminas, carboidratos, minerais, etc.) chegam à placenta e entram no cordão umbilical, indo até o sangue do bebê. Outras coisas que podem passar pelo cordão umbilical são nicotina, álcool, alho e algumas ondas de rádio. Os dejetos do bebê saem por um canal separado, que fica dentro desse mesmo cordão.

Um aspecto interessante e curioso desse crescimento é que, à medida que o bebê aumenta de tamanho, ele começa a fazer coisas. Ele chupa o polegar. Ele sonha (embora você possa estar tentando entender que sonhos seriam esses, já que ele tem tão pouca experiência de vida). Ele começa a se mover. Ele se vira, chuta, dá socos, espreguiça-se. Basicamente, ele está procurando um jeito de sair de lá.

Para a maioria dos pais, sentir o bebê chutar é realmente emocionante porque faz com que eles percebam, pela primeira vez, que existe, de fato, uma pessoinha lá dentro. No entanto, a maioria dos bebês tem um sexto sentido: mesmo quando chutam mais que o Jackie Chan, param imediatamente e ficam quietos assim que o pai coloca a mão na barriga para senti-lo.

Sentir seu bebê chutar é realmente emocionante...

À SAÚDE DA MAMÃE!

Se o bebê está crescendo e se desenvolvendo dentro da mãe, é evidente que a saúde e o bem-estar geral da mãe terão efeito direto sobre a saúde e o bem-estar do bebê. Em suma, é importante que a mãe fique saudável durante toda a gestação.

Mas eu sei que estamos no século 21 e não quero sugerir, de modo algum, que você seja responsável pela saúde da sua mulher. Ela é uma pessoa independente, um adulto capaz de tomar as próprias decisões. Mas, apesar disso, há certas coisas que você pode fazer para ajudar.

Em termos de alimentação, uma boa dose de alimentos naturais é essencial para fornecer à mãe e ao bebê todas as vitaminas, proteínas, carboidratos, minerais e gorduras de que eles necessitam. Não tente viver à base de comida congelada, sanduíches e outros "quebra-galhos". Sua mulher já terá uma forte tendência a engordar na gravidez, não precisamos ajudar fazendo-a comer "fast-food".

> A SAÚDE DO BEBÊ DEPENDE DA SAÚDE DA MÃE, E HÁ ALGUMAS COISAS QUE VOCÊ PODE FAZER PARA AJUDAR A MANTER AMBOS SAUDÁVEIS.

Drogas em geral têm impacto direto sobre o bebê que está no útero. Se você for comprar algum medicamento para sua esposa, lembre-se de consultar o médico ou dizer ao farmacêutico que ela está grávida e leia a bula. Você ficará surpreso ao descobrir quantos produtos que usamos no dia a dia, de remédios para vermes até antialérgicos, são "não recomendados para gestantes". (E, por falar em vermes e germes e outros assemelhados, ela deve ficar longe de carne crua e de fezes de cães e gatos, porque tudo isso transmite uma doença chamada toxoplasmose. Com certeza, sua mulher ficará muito triste por não poder limpar o cocô do cachorro por vários meses, mas, enfim, todos temos de fazer sacrifícios.)

Embora alguns considerem que o álcool é bom para a saúde, quando se trata do bebê em formação, ele precisa ser consumido com bastante moderação. (Muitas pessoas acham que deve ser totalmente evitado na gravidez.) Mulheres grávidas podem tomar, ocasionalmente, uma pequena quantidade de bebida alcoólica, desde que, naturalmente, seja uma taça de vinho, não um coquetel triplo de combustível de foguetes. Como eu disse, o álcool atravessa diretamente a placenta e chega até o bebê, provavelmente a sua mulher não vai querer um nenê bêbado cantando caraoquê dentro dela. Portanto, se vocês têm o hábito de tomar um drinque juntos ou se apreciam vinhos finos, talvez você possa ajudar sua mulher a não cair em tentação, evitando abrir *aquela* garrafa de Bordeaux no jantar.

O mesmo se pode dizer do hábito de fumar. Fumar faz *realmente mal* ao bebê, porque impede que ele receba todo o oxigênio de que necessita. Cigarros têm todo tipo de porcaria que, definitivamente, não interessam ao seu bebê, como, por exemplo, amônia, nicotina, alcatrão, formaldeído, níquel, cádmio, monóxido de carbono e até substâncias venenosas, como arsênico e cianeto, além de compostos radiativos. Esses componentes podem causar diversos problemas, dos quais o menor é um desenvolvimento fetal lento, que resulta em peso baixo ao nascimento. Fumar também aumenta o risco de abortamento, deformidades e, em casos mais graves, morte do bebê recém-nascido. Os filhos de mães fumantes têm o dobro do risco de sofrerem a chamada síndrome da morte súbita na infância e esse risco dobra novamente quando o pai também fuma. Não é brincadeira o que diz no rótulo do cigarro: que "Fumar faz mal ao bebê dentro do útero." E para culminar, se o bebê conseguir resistir ao fumo durante a gestação, ele poderá nascer com os dedos manchados de amarelo e uma tosse seca.

Se você e sua mulher fumam e ela decidir parar, respeite essa decisão e ajude, não fumando perto dela. E lembre-se de que o *tabagismo passivo* também é perigoso. Portanto, se você fuma e sua mulher não, evite fumar quando vocês estiverem juntos no carro ou em um local mal ventilado. Quem sabe, você também possa parar de fumar, que tal?

Eu sei que é fácil falar – eu nunca fumei. Na verdade, eu sou um daqueles cretinos, chatos e moralizantes que quando alguém pergunta "Você se importa se eu fumar?" responde "Vá em frente... eu não me importo de ganhar um câncer só para você se sentir relaxado".

Mas veja bem... esse sou eu.

DECISÕES, DECISÕES

A questão crucial a respeito da gravidez é que o bebê não vai ficar lá dentro para sempre. Um dia, ele vai ter que sair. E, quando chega a hora de sair, isso se chama *trabalho de parto*. "Trabalho", nesse caso, é um grande eufemismo; "agonia" talvez seja um termo mais adequado para descrever o processo do nascimento de uma criança, mas parece que não soa muito bem.

> HOSPITAL, MATERNIDADE OU A CASA DE VOCÊS: PLANEJE E DECIDA, COM SUA MULHER, QUAL O MELHOR LUGAR PARA QUE O BEBÊ NASÇA.

No decorrer da gravidez, você e sua mulher terão que tomar algumas decisões sobre como e onde deverá ser o parto. Sim, porque, como a maioria das coisas boas da vida – viagens ao exterior e espetáculos de teatro, por exemplo –, você não pode simplesmente chegar lá, na hora, e pronto. É preciso fazer reserva.

Alguns casais consideram os hospitais comuns, impessoais e frios, por isso optam pelo nascimento do bebê em casa. Talvez seja mais confortável dar à luz em um ambiente familiar, com mínima intervenção dos profissionais de saúde e apenas com a assistência de uma parteira. Há milênios, as mulheres têm filhos dessa forma e, ainda hoje, essa é a prática de milhões de mulheres em todo o mundo. Embora essa não seja uma opção comum no mundo ocidental, ela ainda é viável para uma mulher saudável que tenha tido uma gravidez sem nenhuma complicação.

Nos países industrializados, o parto domiciliar só ocorre em um percentual mínimo de casos, e esse percentual só tende a diminuir. As empresas de seguro-saúde não cobrem os custos do parto domiciliar, por isso o casal tem de arcar integralmente com os honorários de qualquer profissional de saúde envolvido, o que acaba tornando o parto domiciliar mais caro que o parto hospitalar. Além disso, há problemas quanto à cobertura, pelo seguro, de eventuais problemas que ocorram durante o parto domiciliar, o que torna os profissionais de saúde arredios quanto a esses procedimentos.

Mas ele ainda existe. Minha cunhada teve um parto domiciliar sem assistência profissional e considerou a experiência fabulosa. Se você é do tipo que consegue lidar com isso, fique à vontade. Eu não faria isso por nada no mundo.

Minha mulher e eu fomos contrários ao parto domiciliar por três motivos:
- não queríamos correr o risco de ter um vizinho chegando para tomar um cafezinho no meio da confusão;
- só de pensar naquilo, eu ficava apavorado. Preferíamos contar com os recursos de um grande hospital bem aparelhado, com profissionais especializados e um médico que tivesse muita experiência no assunto e vários diplomas na parede; e

- havíamos acabado de trocar o carpete.

Outras pessoas preferem as pequenas maternidades, mais "aconchegantes" que os grandes hospitais. A atmosfera, nesses locais, é mais tranquila, a decoração é menos "asséptica" e há uma atitude mais receptiva quanto a técnicas de parto não intervencionistas. Geralmente, são centros que funcionam apenas como maternidades, alguns deles anexos a grandes hospitais, de modo que a equipe pode recorrer a serviços de emergência, se necessário.

A maioria das mulheres, no entanto, acaba indo mesmo para os grandes hospitais. O ideal é que o hospital seja próximo da sua casa, para que vocês possam chegar lá rapidamente sem ter de ultrapassar os limites de velocidade ou avançar o sinal de pedestre. O hospital mais fantástico do mundo será inútil se estiver do outro lado da cidade. Vocês vão acabar tendo o bebê no banco de trás do carro, o que vai estragar o estofamento e diminuir o valor de revenda do seu automóvel.

Em parte, a escolha deverá ser determinada pelo seu plano de saúde. E não se engane, o parto pode ser bem caro. Basta você olhar para as vagas que dizem "exclusiva para médicos", no estacionamento do hospital: você verá que elas estão cheias de belos carros importados, modelos conversíveis, com GPS, e poderá concluir que esse negócio de fazer partos envolve muito dinheiro.

Depois de reservada a data no hospital, provavelmente sua mulher terá que ir a uma consulta para preencher formulários, informar dados pessoais e, em geral, responder a uma série de perguntas. O hospital também vai querer saber qual é seu plano de saúde, se você tiver um.

Sua mulher poderá ter o bebê em um *hospital público*, como *paciente do sistema público*, o que significa que o parto será feito pelo médico que estiver de plantão na hora. Como o nome indica, as instalações são públicas. As mulheres ficam juntas em quartos coletivos e usam banheiros coletivos. Tenho amigos que preferem os hospitais públicos a qualquer outro local e outros que pensam exatamente o contrário. Tudo depende da sua situação financeira e das suas expectativas. O hospital público, naturalmente, é o mais barato, particularmente se você não tiver seguro-saúde.

Se você se decidir por um hospital particular, terá várias opções. Escolher um hospital é como escolher qualquer outra coisa, ou seja, você precisa pesquisar e descobrir qual é o melhor para você. Peça recomendações aos amigos, fale com o médico, visite alguns hospitais. Há hospitais que têm uma visita programada à ala de maternidade, para que você possa conhecer bem todas as instalações.

> SE VOCÊ TEM SEGURO-SAÚDE, PROCURE SABER EXATAMENTE TUDO QUE ELE COBRE.

Se vocês têm seguro-saúde, procure saber o que, exatamente, ele cobre. O melhor a fazer é ligar para o prestador desse serviço ou pesquisar na página de internet da empresa e depois comparar as coberturas com os custos do hospital. A diferença será a sua dívida.

No nascimento de Rachael, Meredith tinha seguro-saúde e decidiu usar um hospital público como paciente particular. Isso quer dizer que, como tínhamos um plano de saúde, pudemos pagar para que Meredith fosse atendida pelo seu médico (ver adiante). Mas preferimos o hospital público porque ele era o mais próximo de nossa casa e nós o conhecíamos bem, pois havíamos feito lá todo o curso de parto. A maternidade do hospital tinha uma boa reputação e o pessoal era ótimo. O hospital tinha uma atmosfera simpática e acolhedora e nos pareceu a melhor opção.

Mas algumas coisas nesse hospital foram desagradáveis. No começo do trabalho de parto, Meredith teve que dividir um banheiro com outras três mulheres que também estavam para dar à luz, e todas precisavam ir ao banheiro constantemente. Ficamos em uma enfermaria e as divisórias de pano não nos isolavam, exatamente, dos gemidos e lamentos coletivos. Depois que o bebê nasceu, os horários de visita não foram respeitados e Meredith foi bombardeada com visitas praticamente durante todo o dia e logo ficou muito cansada. Na enfermaria, havia outra mãe que recebia, diariamente, mais de dez visitas e todas falavam muito alto. Para culminar, o bebê dessa vizinha de quarto chorava *sem parar*.

Por isso, no nascimento de Georgia e Matilda, Meredith preferiu ser atendida como *paciente particular* em um *hospital particular*. Nessas ocasiões, ambos estávamos mais confiantes, por isso não nos importamos de percorrer um trajeto mais longo para chegar ao hospital. Meredith ficou em quarto particular, onde pôde ter paz e sossego, usar o próprio banheiro, e, assim, tudo foi mais fácil. A equipe era muito rigorosa com os horários de visita. O pai poderia chegar a qualquer hora, mas, se você não fosse o pai e chegasse fora do horário de visitas, nunca conseguiria passar pelos cães de guarda e pelas enfermeiras armadas que patrulhavam os corredores. Em termos de custo, gastamos, por fora da cobertura do nosso seguro-saúde, várias centenas de dólares, mas, se não tivéssemos essa cobertura, teríamos gasto vários milhares. Mas esse é o preço de ter seu filho em uma maternidade onde servem coquetel de camarão e mousse de chocolate no jantar.

Um lembrete: se você decidir usar um hospital particular, faça logo a sua reserva. As vagas são limitadas e se esgotam mais rapidamente que ingressos para final de campeonato. Algumas mulheres fazem a reserva minutos depois da concepção.

Não estou brincando.

A lista de perguntas abaixo pode ser útil quando você estiver fazendo sua escolha de hospital:

- Qual é a disponibilidade de banheiros e chuveiros?
- Como são os apartamentos?
- Quantas pacientes ficam na mesma enfermaria?
- O hospital tem instalações apropriadas para partos "diferentes" ou só aceitam técnicas "tradicionais"?
- Qual é a conduta quanto ao alívio da dor?
- Quanto tempo a mulher pode ficar no hospital para se recuperar após o parto?

- O apartamento tem telefone?
- Os horários de visita respeitam a necessidade de descanso da mãe?
- O bebê dorme no quarto com a mãe ou no berçário?
- Que revistas eles têm na sala de espera?
- Há um setor de emergência no hospital, caso o pai desmaie, bata a cabeça no chão de concreto e tenha que receber pontos?

Se sua mulher for paciente particular – seja em um hospital público ou particular –, ela poderá ser atendida pelo médico que escolher. Esse médico é o *obstetra*. Obstetra é aquele especialista que tem vários títulos junto com o nome e dirige um conversível que chega a fazer 350 km/h. Geralmente, ele não trabalha em qualquer hospital, o que também pode limitar a escolha para vocês. E, assim como o hospital, ele tem a agenda cheia, por isso vocês também precisam fazer "reserva" – rapidamente.

Mas como se escolhe um médico?

Talvez sua mulher já tenha um médico. Do contrário, ela terá que procurar. Tenho uma amiga que foi a quatro obstetras até escolher o que mais agradou a ela. Esse tipo de pesquisa amplia as chances de acerto, mas pode custar bem caro. Pelo menos um de vocês deverá ser um magnata para adotar essa prática.

Escolhendo o médico...

A maioria dos meus amigos escolhe médicos por recomendação de outros amigos ou de outro médico, geralmente, o clínico geral. Mas essa é uma decisão muito pessoal. Tenho uma amiga que queria uma mulher como obstetra. Ela dizia que ter alguém do sexo masculino como obstetra era semelhante a pedir a um vegetariano para ensinar a fazer churrasco.

O essencial é que sua mulher goste do médico ou da médica e se sinta confortável com ele/ela. Também é importante que vocês conheçam a conduta do médico quanto a intervenções, alívio da dor, posições para o parto, papel do pai, etc. Você certamente não vai querer descobrir, na sala de parto, que suas opiniões sobre essas coisas são diametralmente opostas.

> O PAPEL DO OBSTETRA É MONITORAR A MÃE E O BEBÊ DURANTE A GESTAÇÃO, BEM COMO SUPERVISIONAR O PARTO.

Outra coisa que você precisa saber é quanto vai lhe custar o médico. Isso é *muito importante*. A maioria dos carros europeus tem manutenção cara e quem financia isso? Exatamente, você.

Novamente, lembre-se de verificar qual é a cobertura do seu seguro-saúde.

O papel do obstetra é monitorar tanto a mãe quanto o bebê durante a gestação e, no momento certo, estar lá para supervisionar o parto e ajudar o bebê a nascer. Esse monitoramento envolve, entre outras coisas, diversos exames. Eles começam sendo feitos mensalmente, mas depois, à medida que se aproxima a data do parto, eles precisam ser feitos a cada quinze dias e, depois, a cada semana. Durante essas consultas, o médico deverá coletar sangue e urina da sua mulher, verificar o peso e a pressão arterial dela. As consultas com o obstetra também servem para testar a paciência da sua mulher, pois, invariavelmente, ela ficará cerca de três horas aguardando a vez na sala de espera.

Acompanhei Meredith em várias consultas e exames. Isso foi realmente uma boa ideia, porque pude conhecer o médico e perguntar várias coisas que ficavam passando pela minha mente ("O que acontece quando o bebê é muito grande para sair?"; "O que acontece se as contrações começam muito cedo?"; "O que você acha do consumo de combustível do seu novo Subaru?"). Foi também uma ótima oportunidade de compartilhar a experiência da gravidez e me preparar para o que vinha pela frente.

Em uma dessas consultas, o médico colocou um pequeno microfone (uma espécie de estetoscópio fetal) sobre a barriga de Meredith e nós dois ficamos lá, embevecidos, ouvindo o galope do coração do nosso bebê. Foi emocionante! Foi quando eu pude perceber que, realmente, havia um novo ser lá dentro. Se você puder, faça isso também.

> ACOMPANHAR SUA MULHER AO MÉDICO É UMA BOA MANEIRA DE SOLUCIONAR SUAS DÚVIDAS E COMPARTILHAR A ALEGRIA DA GRAVIDEZ.

Outra tarefa do médico é calcular a data prevista do parto. A gravidez normal dura, como você sabe, cerca de nove meses, embora seja habitual o bebê nascer entre 37 e 42 semanas de gestação. Ainda assim, o bebê não tem calendário dentro do útero e talvez não queira esperar os nove meses de praxe para fazer sua entrada triunfal no mundo. Bebês prematuros são aqueles que nascem antes de decorridas 38 semanas, ou sete meses, de gestação.

Pessoalmente, acredito que essa história toda de "data prevista do parto" seja uma conspiração profissional, uma coisa de corporativismo dos obstetras. Quase posso ver como isso começou. Há muitos anos, na Conferência Anual de Obstetras com Carros Espetaculares, um deles cochichou para os outros: "Ei, pessoal, tive uma ótima ideia para a gente se divertir com esses casais ansiosos..."

Não sei como eles podem realmente calcular a data, suspeito que seja atirando um dardo no calendário da parede. Provavelmente, por volta da 18ª semana de gestação, o médico pedirá a sua mulher que faça um exame de ultrassom para confirmar a previsão de data e para ver algumas outras coisas.

ULTRASSOM

Não há dúvida de que vivemos na fantástica era da tecnologia. Temos à nossa disposição todos os tipos de engenhoca e maravilha, capazes de fazer todos os tipos de coisas impressionantes e incríveis, que nossos pais nunca imaginariam ser possíveis.

Infelizmente, alguns desses avanços foram erros colossais, que só serviram para arrastar a humanidade ainda mais para o abismo da autodestruição; por exemplo:

- queijo em spray;
- aquelas coisas que tingem de azul a água da privada;
- telefones celulares;
- aparelhos de caraoquê;
- reality shows na TV;
- clonagem.

Mas alguns avanços parecem ter sido realmente boas ideias e, francamente, não sei por que não pensaram nessas coisas antes. Exemplos:

- microcirurgia;
- fotocopiadoras com ordenação de cópias;
- detector telefônico;
- papel higiênico não alvejado;
- pipoca de micro-ondas; e, com certeza,
- o maravilhoso aparelho de ultrassom.

Antigamente, mamãe e papai tinham que esperar o grande dia para ver a carinha do Júnior. Mas, graças às maravilhas da moderna tecnologia, isso não existe mais.

Veja como funciona:

Você e sua mulher vão até a clínica de ultrassom. Vocês ficam na sala de espera até serem chamados para a sala de ultrassom. Isso ocorrerá no exato momento em que você tiver chegado à parte mais emocionante da história "Um 747 caiu sobre o meu carro... e eu sobrevivi!" na revista de variedades da sala de espera.

(Antes de prosseguir, preciso avisar. Para que o ultrassom funcione, a mulher tem que beber vários litros de água, o que é desconfortável, na melhor das hipóteses. Acontece que, se ela precisar fazer um exame de ultrassom mais para o final da gravidez, a bexiga estará do tamanho de uma amêndoa. Portanto, depois que ela tiver bebido toda essa água, não faça cócegas nela, nem tente abraçá-la ou passear com ela próximo a chafarizes ou cachoeiras.)

Voltando à sala de ultrassom. O radiologista vai chegar e percorrer a barriga da sua mulher (ou seja, o lugar onde o bebê mora) com uma espécie de microfone. Esse aparelho emite ondas sonoras de alta frequência (por isso se chama *ultrassom*) que são refletidas e processadas por um monitor, onde vocês terão a visão gloriosa em preto e branco.

E lá está.

Uma tela preta, com imagens brancas estranhas, trêmulas e flutuantes.

É o seu bebê.

O radiologista vai dizer coisas incríveis, como "Olhe o bracinho do bebê", "Este é o coraçãozinho" e "O bebê está olhando para cá". Na verdade, acho que ele está só curtindo com a nossa cara e a imagem do ultrassom é apenas um canal de TV mal sintonizado. Aquilo me faz lembrar a história *A Roupa Nova do Rei*. Não se consegue ver nada definido na tela, mas todo mundo fica dizendo "Claro, olhe só... acho que vi a mão!" Ninguém quer ser o primeiro a dizer "Não estou vendo nada!" e assim o mito se perpetua.

Quando eu vi a primeira imagem de ultrassom de Rachael, pensei que Meredith daria à luz uma foto de satélite da Terra. Lá estavam as pernas (nuvens no céu de Sidney), o peito (frente de baixa pressão deslocando-se para o norte) e a cabeça (ciclone costeiro). Muito empolgante.

Outra coisa empolgante do exame de ultrassom é que, além de olhar a imagem na tela, você também pode levar recordações para casa. Há dois tipos de lembrancinhas: a mais simples é o instantâneo da imagem que você vê no monitor. Essas fotos parecem radiografias e têm rótulos indicando as partes do corpo para que você saiba identificar exatamente o que está vendo. Por que não começar a montar o álbum de fotografias do seu bebê muito antes de ele nascer?!

A outra recordação, que vem se tornando cada vez mais popular, é a gravação do ultrassom em vídeo ou DVD. Sim, você pode captar todos os mínimos detalhes do exame de ultrassom para depois assistir de novo, quantas vezes quiser, em casa. Imagine como vai ser divertido fazer uma surpresa ao seu filho ou à sua filha e mostrar o filme de quarenta minutos do ultrassom na festa de aniversário de 21 anos! Os amigos dele ou dela vão ficar impressionados, você não acha?

Obviamente, a tecnologia está sempre evoluindo e o ultrassom também. Antigamente, a imagem do ultrassom era estática, bidimensional, em preto e branco. Hoje, existe o ultrassom tridimensional, que mostra uma imagem muito mais detalhada. Essas imagens coloridas são um tanto sinistras: elas se parecem com máscaras mortuárias, dessas que vemos em antigos museus penais, ou imagens de fantasmas em três dimensões, feitas por computador para um desses filmes com pseudoefeitos especiais sobre casas mal-assombradas. Quando combinadas em série, essas imagens podem fazer um efeito "4D", semelhante ao que você obtém quando desenha nos cantos das páginas de um caderno e depois as folheia rapidamente, produzindo uma impressão de movimento. Essas imagens de ultrassom têm mais valor como entretenimento do que como recurso médico, mas alguns pais querem começar cedo sua coleção de vídeos infantis.

Na verdade, acho que não vai demorar muito para termos toda uma nova linha de produtos lançados pelo marketing do ultrassom. Que tal uma camiseta pintada com a imagem do ultrassom? Ou um ímã de geladeira? Por que não uma coleção de cartões-postais para enviar aos amigos? E por que não uma daquelas bolas de vidro com uma réplica do feto no seu interior? Chique, não? Você sacode... e a neve cai!

Fazer o exame de ultrassom tem três vantagens. A primeira, como já mencionei, é que o médico pode verificar a data prevista do parto, medindo um dos ossos do bebê. Invariavelmente, essa data é bem diferente da que ele havia informado originalmente. (Isso só serve para corroborar a minha teoria sobre "data prevista".)

> O ULTRASSOM É UM EXAME NECESSÁRIO PARA GARANTIR A SAÚDE DA MÃE E A DO BEBÊ.

Em segundo lugar, o exame serve para que o médico verifique se está tudo bem com o bebê e se todas as partes do corpo estão no lugar certo.

Em terceiro lugar, podemos descobrir quantos bebês estão lá dentro, esperando para sair. As chances matemáticas são de haver somente um bebê. Mas se você contar quatro pernas, ou sua mulher vai dar à luz um cavalo, ou você vai ser pai de gêmeos.

Você tem 1 chance em 86 de ser pai de gêmeos, 1 chance em 8 mil de ter trigêmeos, 1 chance em 650 mil de ter quadrigêmeos e 1 em 400 bilhões de ter sétuplos. Se você contar sete pares de pernas ou mais, no ultrassom, pode vender seu carro e comprar um ônibus, porque você vai precisar dele.

E agradeça se não ocorrer com você o que aconteceu com Feodor Vassilyev, um camponês russo cuja mulher (segundo o *Livro Guinness dos Recordes*) deu à luz gêmeos dezesseis vezes, trigêmeos sete vezes e quadrigêmeos quatro vezes – 69 filhos no total, um recorde mundial em termos de reprodução.

PEQUENAS MUDANÇAS

Nem sempre é fácil lidar com todas as pequenas mudanças que acompanham a gravidez. No começo, essas mudanças são sutis, mas à medida que os meses vão passando, inexoravelmente, tudo começa a ficar "diferente". Você vai perceber que a sua mulher está se *transformando*.

É preciso lembrar que ocorrem alterações hormonais. O corpo dela está repleto de progesterona e estrogênio, por isso ela pode ter flutuações do humor, mais variáveis que o clima tropical. Por exemplo, quando você faz uma pergunta simples e direta como "Quer um café?", você pode ouvir como resposta "Sim, por favor" ou "Não, obrigada". Mas você também pode ouvi-la dizer, chorando de emoção, "essa foi a coisa mais linda que você me disse" ou retrucar agressiva "não venha me tratar feito criança – eu sei fazer café!"

Embora a maioria das mulheres grávidas não faça exatamente o estereótipo choroso ou ranheta que vemos nas novelas de TV, muitas entram nessa montanha-russa emocional em algum momento da gestação. Outros efeitos colaterais típicos desse turbilhão que é a gravidez são os famosos "desejos", dores de cabeça, falta de coordenação motora, azia, inchaço, pressão alta, cãibras, desatenção e cansaço. Dá até vontade de engravidar, não é mesmo?

> NEM SEMPRE É FÁCIL LIDAR COM TODAS AS MUDANÇAS QUE ACOMPANHAM UMA GRAVIDEZ.

Não vamos esquecer dos enjoos matinais já mencionados. E o que você, que é um bom marido do século 21, pode fazer para aliviar essa náusea horrível? Já ouvi falar de vários remédios, como torrada sem manteiga, massagem nas costas, glicose, gengibre, inalação de vapor, refeições leves e frequentes, bastante líquido, chá de ervas e andar com um dente de alho pendurado no pescoço. Há quem jure que comprimidos de ferro ou gotas de soro fisiológico funcionam e até já ouvi falar de um remédio que envolve um gato, uma pilha e um tubo de pasta de dente, mas em nome do bom gosto prefiro não entrar em detalhes.

Exceto por essas medidas, não há muito mais que você possa fazer. O enjoo da gravidez acontece quando tem de acontecer e você não tem como evitar. Entretanto, você pode ajudar a não tornar as coisas piores do que já são. Leve um chá para ela, na cama, pela manhã. Não mexa com suas iscas de pesca perto dela. Se resolver cozinhar, evite fazer comidas muito gordurosas ou condimentadas, com ervas aromáticas ou fortes. Se fizer frango, não sirva para ela aquele traseirinho gorduroso. E principalmente, se ela estiver parecendo verde, não fique no caminho do banheiro.

A mudança mais evidente que você vai perceber é que o bebê vai ficando cada vez maior na barriga de sua mulher. Usando uma matemática simples, é fácil deduzir que todos os órgãos internos dela têm cada vez menos espaço. A bexiga fica imprensada e diminui de tamanho. Resumindo, aquelas suas longas horas no banheiro, lendo jornal ou gibi, terão de ser encurtadas. Viagens de carro verdadeiramente épicas também terão de ser repensadas. E não pergunte, em hipótese alguma, se ela "pode aguentar mais meia hora". Uma mulher que tem a bexiga do tamanho de uma avelã não é alguém com quem se deva brincar.

Sua mulher vai ganhar, em média, 11 quilos. É interessante saber que somente um terço desse ganho de peso corresponde ao bebê. O restante é composto pelo aumento dos líquidos corporais (sangue, líquido amniótico), por gordura, pelo útero e pela placenta. O sinal mais evidente desse ganho de peso é que sua mulher não conseguirá mais entrar naquela calça jeans nem no vestido preferido dela. Coincidentemente, nessa mesma época, você dará pela falta de várias roupas suas, sobretudo aqueles suéteres largos e confortáveis, camisetas e moletons. Você não precisa ser um Sherlock Holmes para saber quem é o ladrão. Além disso, você provavelmente terá que estourar o cartão de crédito comprando para ela um novo guarda-roupa, conhecido como "moda gestante".

Outra mudança perceptível é o aumento de tamanho dos seios de sua mulher. Essa mudança pode começar cedo na gravidez, mas geralmente fica mais acentuada no último trimestre. A razão dessa mudança é que as glândulas mamárias estão se preparando para todo o trabalho duro que as espera. Na verdade, elas podem aumentar de tamanho o equivalente a umas duas xícaras, o que, segundo o medidor que usamos na nossa cozinha, é mais ou menos um quarto de litro. Mas, embora os seios da sua mulher estejam grandes e atraentes, eles também estão bem doloridos. Você pode olhar com cobiça para esses seios convidativos, porém sua mulher não necessariamente vai apreciar ou mesmo permitir os seus avanços. Portanto, controle essas suas mãos.

Se é certo que essas mudanças físicas podem tornar a vida mais complicada, elas nem sempre são tão paralisantes quanto a televisão por vezes nos faz crer (*ver capítulo 1*). A gravidez e o parto são eventos normais e saudáveis. Uma mulher grávida não está doente e não deve ser tratada como tal. Por outro lado, sua mulher certamente não será tão ágil quanto antes. Graças à nova distribuição de peso, é comum ela ter dor nas costas. Muitas atividades cotidianas podem se tornar cada vez mais difíceis e mesmo dolorosas para ela. Dormir pode ser um problema e, além da nova forma nada confortável do corpo, ela precisa lidar com sintomas desagradáveis, como azia, batimentos cardíacos mais rápidos, falta de ar e uma necessidade constante de ir ao banheiro. Dormir de costas ou de bruços pode se tornar bem desconfortável, por isso ela vai preferir dormir de lado, já que essa posição oferece algum alívio do peso que ela carrega. De fato, perto do fim da gestação, ela praticamente não terá uma posição que seja confortável para dormir, por isso você deve fazer tudo que puder para ajudar. Coloque travesseiros apoiando várias partes do corpo dela. Há uma gama de opções de travesseiros e almofadas apropriados para esse fim – é melhor comprar alguns deles do que tentar construir uma montanha de travesseiros comuns na cama.

Há várias outras coisas que você pode fazer para facilitar a vida da sua mulher, mas não a trate como se ela fosse uma boneca de porcelana que deve ficar sentada em um cantinho durante nove meses. Em vez disso, assuma um pouco mais as tarefas de cozinhar, lavar, passar e limpar a casa. Massageie as costas dela quando ela pedir. Amarre os tênis para ela. Evite usar termos como "camelo" ou "orca" na presença dela. Leve o café para ela na cama. Seja compreensivo se as dores no corpo ou as náuseas a impedirem de cumprir compromissos sociais. Em suma, seja um completo super-homem.

UM POUCO MAIS SOBRE SEXO

Ah, é mesmo – foi essa a causa inicial de toda essa situação. E você ainda quer mais?

Quando anunciamos ao mundo que Meredith estava grávida, um dos nossos amigos me olhou com uma expressão consternada e disse com voz grave: "Meu amigo, lá se vai a sua vida sexual no próximo ano inteiro."

Até ali, eu não havia considerado que isso pudesse ser um problema. Mas, quando ele fez esse comentário, eu comecei a tremer na minha ignorância. Então isso realmente significava que minha mulher e eu não poderíamos fazer o que era normal e sadio no nosso casamento?

> É POSSÍVEL E NORMAL FAZER SEXO DURANTE A GRAVIDEZ.

Que alívio quando eu descobri que minha mulher não entrou imediatamente em quarentena de sexo ao engravidar. De fato, muito pelo contrário (mas essa é outra história que, francamente, você nunca vai conhecer). É possível e normal fazer sexo durante a gravidez. Aliás, se você pensa que sua mulher grávida está proibida para você porque seu enorme órgão da fertilidade poderá ser uma ameaça à segurança do bebê, só tenho uma coisa a lhe dizer: *Não seja tão convencido*.

Dito isso, é preciso ter em mente algumas medidas de bom senso. Como eu já disse, durante a gestação, o organismo da mulher passa por incríveis mudanças. Como essas mudanças incluem alterações dos hormônios, talvez você perceba que o apetite sexual voraz de sua mulher diminuiu um pouco. Ou seja, talvez ela "não esteja a fim". Talvez ela não queira fazer sexo com tanta frequência quanto "nos bons tempos". (É claro que pode acontecer o oposto.) É importante que você compreenda tudo isso e as mudanças com as quais ela está tentando conviver. Definitivamente, ela não precisa que você fique tentando excitá-la com gestos e brincadeiras sexuais.

E, mesmo que vocês tenham relações ou se envolvam em jogos sexuais, algumas limitações físicas devem ser respeitadas. Você perceberá que não é possível fazer sexo tão acrobático quanto antes. Pendurar-se no lustre, destruir a mobília do quarto, posições atléticas, do tipo luta greco-romana, e qualquer coisa que se assemelhe ao *Kama Sutra* ou à ioga estão definitivamente banidos. Você terá que ser um pouco mais criativo para que as peças do quebra-cabeça se encaixem mais confortavelmente, se é que você me entende. Se você precisar de treinamento prático, tente amarrar na sua cintura um saco de arroz e alguns tijolos e veja como você se sente a respeito de sexo.

Naturalmente, as mulheres não são todas iguais. É importante que o casal discuta essas questões de sexualidade e que um comunique ao outro seus sentimentos. É importante que você seja compreensivo e dê apoio a sua mulher. Sexo é uma parte boa e normal do relacionamento, mas a gravidez pode alterar, temporariamente, o padrão habitual.

GAMBÁS E HOMENS

Tenho pena do gambá. Lá está ele, curtindo um amorzinho fedorento em um confortável galho de sua árvore preferida e apenas treze dias depois – é isso mesmo, treze dias – a fêmea dá à luz um *gambazinho*. Esta é, provavelmente, a causa da alta incidência de úlceras de estômago em gambás.

Felizmente, nós, que não somos gambás, temos um pouco mais de folga. Nove meses é um período bem razoável que temos para nos adaptar a nosso novo papel na vida. Mas isso não significa que os futuros pais têm nove meses para relaxar e festejar. Use esse período valioso para se preparar com afinco para a chegada de seu *humaninho*. E pode acreditar: há muito a fazer. Aproveite bem o tempo. Leia o capítulo 3.

Não se engane. Não pense que vai demorar a passar. Não somos tão sortudos quanto o elefante africano, cujo período de gestação é de vinte e um meses. Os pais elefantes africanos certamente não têm nenhuma desculpa para não estarem prontos para a nova vida nas pradarias com seu jovem paquiderme.

Como eu disse no capítulo 1, é comum que, no começo da gestação da mulher, o futuro papai fique um tanto desorientado. Todas as pessoas que sabem que você vai ser pai já começaram a tratá-lo de um jeito diferente, sua vida sexual foi parar no tempo dos dinossauros, você elegantemente parou de tomar seu gim-tônica para colaborar com sua mulher, sua conta bancária já o está deixando de cabelo em pé, sua mulher vomitou no banheiro – e só se passaram vinte e quatro horas desde que você recebeu a notícia.

Bem-vindo à gravidez!

Mas não se preocupe. Ao contrário do gambá, você ainda tem muitos meses para se acostumar à ideia.

CAPÍTULO 3

CHEGOU A HORA

Um silêncio sepulcral caiu sobre o quarto. Nós seguimos vivendo, mas nunca mais seríamos os mesmos.

ENCARANDO OS FATOS

Para iniciá-lo nos segredos da paternidade, preciso trazê-lo de volta à realidade com uma reflexão solene. Eu o avisei no começo deste livro, mas vou repetir: a vida, tal qual você a conhecia, não existe mais.

Finito. The End. Já era.

Tchau. *Hasta luego. Auf Wiedersehen. Goodbye.*

Ficou na lembrança. É passado.

Sua vida como pai será totalmente diferente de tudo que você conhece até aqui. Minha vida, com certeza, mudou totalmente. Você pode até ficar surpreso, mas eu nunca havia dirigido uma minivan nem costumava sair das festas às 22 horas. Não era comum alguém me ver perambulando perto da piscina infantil no clube e meu conceito de uma boa noitada nem sempre foi ficar em casa e pedir hambúrgueres para assistir a *Procurando Nemo*.

Mas isso foi *antes*.

> ACOSTUME-SE COM ESTA IDEIA: NÃO É POSSÍVEL VOCÊS TEREM FILHOS E CONTINUAREM VIVENDO COMO UM CASAL SEM FILHOS.

Você precisa se acostumar com a ideia de que não é possível vocês terem um filho, ou vários, e continuarem vivendo como um casal sem filhos em que pelo menos um dos parceiros tem um bom emprego. O estilo de vida, as responsabilidades, os papéis e as rotinas diárias dos casais que têm filhos são totalmente diferentes, opostos e mutuamente excludentes se comparados a esses mesmos aspectos dos casais sem filhos. Casais que têm um filho e continuam vivendo e trabalhando como se não tivessem nenhum ficam frustrados e exaustos. Viver com vários filhos como se eles não existissem é impossível. Vocês vão acabar desejando nunca ter tido filhos.

Estou falando sobre o modo como você usa seu tempo. Você costumava ter muito tempo para fazer o que bem entendesse. Jogar golfe hoje à tarde? *Claro!* Uma cervejinha depois do trabalho? *Sim!* Ficar na rede lendo um romance? *Maravilha!* Pegar uma praia? *Com certeza!* Um cineminha? *Por que não?* Fazer uns consertos em casa? *Boa ideia!*

Tudo isso acabou. Ser um pai atuante é algo que exige dedicação. Ser pai toma tempo. Seu filho precisa de seu tempo. Não há como escapar nem como contornar essa situação.

Existem três aspectos principais que vão exigir um bom gerenciamento de seu tempo nos próximos doze meses. Primeiro, considere os *próximos meses de gravidez*. Você e sua mulher estarão bem ocupados se preparando para a chegada de mais alguém na casa. Essa é uma operação especialmente demorada, que envolve uma lista quase infindável de tarefas. Mas, quanto melhor for a sua preparação, mais fáceis serão as coisas para você mais tarde.

Em segundo lugar, temos a questão da data da chegada – a famosa *data prevista do parto* ou "missão improvável". Você precisa marcar em todas as suas agendas, no *palmtop*, no calendário do celular, as semanas que cercam essa data incerta, porque os bebês não costumam respeitar o cronograma dos adultos. Eles podem chegar antes. Ou podem chegar depois.

Na verdade, provavelmente eles chegarão fora dessa data.

É extremamente importante que você esteja disponível e alcançável quando a roda do destino girar e seu bebê começar a sair do útero. E você também deverá estar presente nas semanas seguintes ao nascimento. Esse é um período tumultuado e, se você tiver muitos compromissos de trabalho e/ou sociais, isso não vai ajudar.

Informe seu chefe, no trabalho, sobre a data prevista do parto e verifique se há alguma possibilidade de você tirar alguns dias de folga sem prévio aviso. Se o seu trabalho permitir alguma flexibilidade, evite assumir muitos compromissos em torno da data prevista. (Também não marque viagens de férias, partidas de golfe nem compre ingressos de teatro caros para esses dias.) Muitos amigos meus pediram as férias anuais ou uma licença de modo a estarem em casa nessas primeiras semanas cruciais (no Brasil, a licença é de cinco dias).

Em terceiro lugar, lembre-se de que, no longo prazo, sua *nova vida familiar* exigirá muita dedicação. Se você ficar trabalhando sempre até muito tarde, marcar compromissos para todas as noites da semana (jogar futebol, fazer ginástica, cinema, ensaios, happy hour, visitar amigos, reuniões, etc.) e não abandonar as festas de fim de semana que entram pela madrugada, vai ter pouquíssimo tempo de sobra para ser pai (e, na verdade, para ser marido também).

> SUA NOVA VIDA FAMILIAR EXIGIRÁ MUITA DEDICAÇÃO. SE VOCÊ CONTINUAR TRABALHANDO ATÉ TARDE, TERÁ POUQUÍSSIMO TEMPO PARA SER PAI.

Talvez você já tenha ouvido a expressão "tempo de boa qualidade". Isso quer dizer que você deve passar um tempo intensivo com seu filho, concentrado naquilo que estiver fazendo com ele, quer você esteja ninando seu filho, cantando para ele, levando-o para passear ou conversando com ele. Esse "tempo de qualidade" é importante, desde que não seja mal utilizado. Você não pode compensar o fato de trabalhar até uma hora absurda à noite ou de estar sempre ausente de casa, agarrando a oportunidade de passar trinta minutos lendo com seu filho uma vez na vida e outra na morte.

É necessário pensar também em termos da "quantidade de tempo" que você dedica à sua família, simplesmente estando em casa e participando das atividades rotineiras. Em suma, seu filho precisa da sua presença. Não estou sugerindo que você abandone seu trabalho e passe vinte e quatro horas por dia com a família. Obviamente, há momentos em que as coisas se complicam no trabalho e exigem muito da sua atenção. De certa forma, isso faz parte, inevitavelmente, da ética profissional contemporânea. Entretanto, como regra geral, a família deve ocupar uma posição prioritária na sua agenda.

Portanto, converse com sua mulher sobre as agendas semanais de vocês. Basicamente, quando o bebê chegar, vocês terão que passar muito tempo em casa. Isso não acontecerá num passe de mágica, sem esforço. É preciso planejar e se empenhar em criar novos cronogramas de atividades, o que significa que talvez você tenha que fazer algumas escolhas.

Parece tudo muito assustador, não? Mas não é. É apenas diferente.

No começo, vocês ainda conseguirão manter uma rotina quase normal. Bebês recém-nascidos são portáteis e geralmente calminhos, por isso vocês podem levá-los a jantares ou jogos de futebol sem muito problema. Mais tarde, quando eles crescerem e essas saídas se tornarem mais difíceis, você e sua mulher poderão trabalhar em equipe e se revezar, cuidando do bebê cada um de uma vez para que o outro possa sair. Atividades como esportes, cursos, festas, ensaios, reuniões com amigos no clube, por exemplo, podem ser equilibradas, com moderação. Babás, amigos que estão loucos para ter filhos e alguns parentes também podem ajudar e permitir que vocês saiam juntos.

Com certeza, vocês perderão um pouco de liberdade. Mas nada se consegue de graça neste mundo, e esse é o preço que se paga pelo privilégio e pelo prazer de ser pai.

Aliás, quando eu disse que não era tão mau assim, eu estava brincando.

Não há um momento predeterminado em que a mulher grávida deve parar de trabalhar...

TRABALHO NAS MINAS DE CARVÃO

Alguns trabalhos são simplesmente impossíveis quando você tem alguém vivendo e crescendo dentro de você. Se a sua mulher for instrutora de judô, por exemplo, ela vai sentir que é cada vez mais difícil cumprir suas obrigações profissionais. O mesmo vale para jogadoras de vôlei, mulheres que trabalham em minas de carvão, fazem luta livre na lama ou são policiais.

Ela também poderá ter problemas se precisar ficar em pé o dia inteiro no trabalho ou se o emprego exigir que ela corra o dia inteiro pela cidade. À medida que a gravidez progredir, ela tenderá a se cansar mais facilmente, terá cãibras mais frequentes e, finalmente, chegará o momento em que ela terá que parar de trabalhar. A maioria das empresas não quer ver funcionárias ganhando nenê no corredor da empresa – é muito caro mandar lavar o carpete.

Quando Meredith estava grávida de Rachael, ela trabalhava para um órgão do governo que ficava do outro lado da cidade. Isso significava uma longa viagem de ônibus no horário de pico, mais um trajeto de ônibus e, depois, uma caminhada até chegar ao local de trabalho. Com o passar dos meses, ir trabalhar ficava cada vez mais difícil para ela. No começo, havia o pavor diário ante a perspectiva de vomitar em um ônibus lotado. Mas ela superou essa fase, felizmente. Mais adiante, com a barriga crescendo, ela descobriu que o cavalheirismo, infelizmente, estava em baixa. Às vezes, ela passava toda a viagem de ônibus em pé, com o bebê chutando, a bexiga explodindo e as costas doendo. Quando se sentia particularmente desconfortável, ela dizia bem alto, para ninguém, especificamente, "Desculpe, estou grávida. Por favor, voc...?" Ela nunca precisava terminar a frase. Era incrível como o cavalheirismo surgia de repente!

Meredith aguentou o sofrimento do trabalho e os horrores das viagens no transporte público por sete meses até decidir que era o bastante. Não há um momento predefinido em que a gestante deve parar de trabalhar. Geralmente, isso depende de como ela está se sentindo, mas suspeito de que as obrigações financeiras coloquem muitos casais, atualmente, sob grande pressão. Algumas mulheres podem se dar ao luxo de parar de trabalhar assim que "recebem a boa-nova". Mas outras, seja por motivos financeiros ou por compromissos profissionais, acabam trabalhando pelo máximo de tempo possível.

Não há muitas opções para as futuras mães com respeito a trabalhar. Elas podem abandonar o trabalho fora de casa definitivamente ou apenas usufruir da licença-maternidade. É importante que sua mulher conheça todas as regras relativas à licença-maternidade no local em que trabalha, consultando o departamento pessoal da empresa, o sindicato da sua categoria profissional ou o órgão do governo que possa lhe dar todas as orientações a respeito. (Embora seja ilegal qualquer tipo de discriminação contra a gestante no ambiente de trabalho, pode haver limitações específicas relativas a determinados tipos de funções que tenham contato com substâncias perigosas ou profissões, como piloto de aviação comercial ou controlador de tráfego aéreo.) Qualquer que seja a situação, a renda familiar será comprometida e você deve se preparar para ver sua conta bancária diminuir avassaladoramente à medida que a data prevista para o parto se aproxima.

> É IMPORTANTE QUE SUA MULHER SE INFORME SOBRE TODAS AS REGRAS DA LICENÇA-MATERNIDADE NO LOCAL EM QUE TRABALHA.

Vocês também precisam discutir o que farão, em termos de trabalho, após o parto. Alguns anos atrás, isso não seria um problema. As convenções sociais ditavam que a mulher deveria abandonar para sempre o trabalho ao ter filhos, para mergulhar de corpo inteiro no turbilhão dos afazeres domésticos. Mas aí veio a revolução. O ar ainda está pesado com a fumaça dos sutiãs queimados e a sociedade já não condena a mulher grávida à morte profissional.

Hoje, é comum vermos casais em que os dois trabalham fora de casa, mas isso acarreta outro tipo de problema. O que fazem esses casais quando chega o bebê? Não dá para deixar o bebê no berço o dia todo, enquanto os pais simplesmente saem para trabalhar. Também não parece provável que qualquer um de vocês possa levar o bebê debaixo do braço para o trabalho.

Pois é. Alguém precisa cuidar do bebê.

A solução para isso vai depender de vários fatores, por exemplo, o grau de flexibilidade das empresas em que cada um trabalha, o volume de dívidas que vocês têm, qual dos dois ganha mais, a opinião do casal sobre aleitamento materno ou mamadeira, sua conta bancária, suas convicções sobre o valor de serem pais em horário integral, a disposição e a capacidade de avós bem-intencionados que possam e queiram participar ativamente, ajudando a cuidar do netinho, e de qual de vocês tem mais força de vontade.

Há muitas possibilidades e opções entre as quais vocês podem escolher. Meredith e eu somos bem tradicionais. Apesar do diploma universitário e das chances de carreira, Meredith decidiu parar de trabalhar e assumir os cargos de mãe e gerente domiciliar de uma nova empresa, em franco crescimento, chamada Família Downey. Financeiramente, essa não é uma solução espetacular, mas certamente garante um ambiente doméstico estável e seguro, algo que nós dois valorizamos.

Há muitas saídas possíveis para vocês, dependendo do quanto estão dispostos a ser flexíveis ou inovadores. Nossos vizinhos, por exemplo, se revezam, trabalhando fora e ficando em casa por períodos alternados de aproximadamente um ano, para que ambos tenham a experiência de serem pais em tempo integral. Naturalmente, esse esquema não é a melhor receita para se fazer carreira. Certa vez, conheci um casal que conseguiu esquematizar seu trabalho para que ambos pudessem ficar com os filhos em tempo integral e também trabalhar fora em tempo integral. A mãe trabalha durante o dia (das 8 às 16 horas) e o pai trabalha no turno da noite (das 15 às 23 horas). O bebê fica com uma babá por apenas duas horas por dia. É uma boa solução para eles, do ponto de vista financeiro, mas o problema é que o casal só se encontra aos domingos. Isso não é exatamente o caminho ideal para desenvolver uma relação conjugal sólida.

Também tenho amigos que trabalham, os dois, das 9 às 17, diariamente, enquanto os avós ficam com as crianças durante o dia. É um serviço de babá gratuito e os avós apreciam a oportunidade de passar bastante tempo com os netos.

> QUANDO SE TRATA DE QUEM VAI TOMAR CONTA DO BEBÊ, HÁ DIVERSAS OPÇÕES, DEPENDENDO DE QUÃO INOVADORES OU TRADICIONAIS VOCÊS QUEIRAM SER.

Se vocês dois querem trabalhar em horário integral, mas seus pais não estão por perto para ajudar, poderão buscar uma boa babá ou uma creche no bairro onde possam deixar o bebê. Uma creche de boa qualidade deve ter um número adequado de funcionários para cuidar das crianças, não pode aceitar muitas crianças e deve ter todos os alvarás e as licenças de funcionamento apropriados, que garantam sua limpeza e segurança.

Em alguns países, como na Austrália, existem pequenas creches, mantidas por pessoas em suas casas. O número de crianças atendidas é pequeno e as despesas são cobertas pelo governo local. Existem também as creches maiores, que abrigam até 40 crianças todos os dias, por períodos mais longos – por exemplo, em horário integral. A vantagem dessas creches maiores é que há vários profissionais disponíveis, por isso, se a pessoa que habitualmente cuida da criança ficar doente, haverá sempre alguém para substituí-la. Só há duas desvantagens desse tipo de serviço: muitas vezes, é difícil conseguir uma vaga para seu filho e você precisa pagar por ele.

A espera para bebês pode ser de até dezoito meses, porque é mais trabalhoso cuidar deles do que de uma criança que já anda, come sozinha, é mais independente. Os bebês também podem ter custos mais altos. Algumas creches poderão lhe custar centenas de reais por semana, dependendo de quantas horas você deixa seu bebê lá. Há empresas que saíram na frente e montaram creches para os filhos dos funcionários, mas ainda são poucas as que oferecem esse benefício.

O fato é que, seja qual for o tipo de creche, a procura é sempre muito grande, por isso pode ser difícil encontrar um lugar para o seu bebê. A solução é colocar o nome dele (se ele já tiver nome – falaremos disso mais tarde) nas listas de espera *logo que for possível*. Qualquer que seja sua decisão, não deixe de verificar se a creche tem todas as licenças de funcionamento necessárias e se cumpre as normas específicas quanto à proporção entre profissionais e crianças, que você pode consultar, por exemplo, na internet. Se você conseguir uma vaga, visite o local, verifique as instalações e conheça os profissionais que cuidam das crianças. Logo você formará uma opinião sobre o lugar. Se, por exemplo, houver um lago sem cerca no quintal e a pessoa que cuida das crianças estiver usando uma camiseta com os dizeres "Para sempre, anarquia", talvez você deva conhecer outra creche.

Se sua mulher decidir voltar ao trabalho remunerado – em qualquer função que seja –, ela provavelmente não fará isso de imediato. Ou seja, nada impede que ela volte ao trabalho no dia seguinte ao nascimento do bebê se ela quiser, desde que ainda consiga andar, naturalmente. Entretanto, a maioria das mulheres volta a trabalhar cerca de três a seis meses depois do parto. Nessa época, elas já conseguem caminhar sem dificuldade, o leite não encharca mais a blusa e as pessoas já pararam de perguntar, olhando a barriga, quando elas vão ter o bebê.

INSTINTO MATERNAL

A ciência nos diz que os pássaros têm o instinto de fazer ninhos. No período que precede a postura dos ovos, as fêmeas entram em uma espécie de frenesi de fazer ninho. Dessa forma, quando os ovos emergirem, eles terão um local seguro e aquecido para abrigá-los até que os filhotes rompam a casca.

Todos os pássaros têm esse senso de urgência de fazer ninhos.

E todas as grávidas têm esse senso de urgência de arrumar a casa.

Naturalmente, espero que a sua mulher não suba em nenhuma árvore e comece a fazer uma cestinha de gravetos, paina e lama, mas o senso de urgência vai se manifestar, com certeza, de algum modo bem peculiar. É inevitável. É uma coisa meio biológica. No cérebro da mulher, logo abaixo do hipotálamo, há uma pequena glândula que secreta o hormônio da urgência de fazer ninho. Quando essa glândula começar a funcionar, você irá notar certas mudanças na sua mulher... Por exemplo, a ausência de raciocínio lógico, a perda total da racionalidade e um desejo incontrolável de fazer grandes mudanças arquitetônicas na casa.

Quando nos casamos, tivemos a sorte de poder morar na antiga casa de minha família. Decidimos fazer o quarto do bebê em meu quarto de adolescente, que havia sido decorado em estilo moderno, com móveis modulares embutidos, tudo interconectado em vários níveis – cama, armários, estantes de livros, gaveteiro e escrivaninha. Tudo pintado de vermelho bombeiro. O ponto alto era um lustre enorme, feito de pergaminho, que pendia do teto em estilo luminária de fábrica.

Um quarto perfeito para um bebê!

Era o que eu achava.

Eu me lembro claramente daquele dia. Ao voltar do trabalho, contornei a casa para entrar na garagem e percebi imediatamente que havia algo estranho. Essa percepção foi decorrente do fato de eu ter encontrado todos os móveis de meu antigo quarto, que descrevi acima, transformados em uma pilha de tábuas e lascas de madeira no meio do quintal.

> ASSIM COMO PÁSSAROS TÊM O INSTINTO DE FAZER NINHOS, MULHERES GRÁVIDAS TÊM O INSTINTO DE FAZER MUDANÇAS NA CASA – E É MELHOR NÃO LUTAR CONTRA ESSE INSTINTO.

Meio anestesiado, fui entrando em casa, tropeçando em um enorme rolo de carpete que, tenho certeza, não estava lá quando eu saí para trabalhar naquela manhã.

No espaço vazio em que meu quarto se transformara, encontrei minha mulher muito grávida, banhada de suor e toda suja, atarefada, raspando as camadas de tinta e papel das paredes do quarto. Metade do cômodo já estava descascada, com a parede nua de concreto à mostra.

Fiquei olhando parado, de boca aberta, até conseguir articular alguma coisa.

"O que você está fazendo?", perguntei com todo o cuidado, para não assustá-la.

"Montando um quarto de bebê", disse ela com a mesma naturalidade que diria se tivesse dito "Fazendo um sanduíche de queijo".

"Ah!", foi tudo o que eu consegui dizer.

"Acho que um amarelinho vai ficar bom. Podemos lixar as molduras dos quadros para combinarem com as tábuas do piso. E, vamos ter que lixar as tábuas também."

"Humm...", disse eu e fui saindo de fininho.

Nesse momento, senti que minha cabeça começava a doer, então resolvi tomar uma dose de uísque.

Quando essa urgência de fazer o ninho chegar, não lute contra ela – se você fizer isso, só estará criando problemas para si mesmo.

EQUIPAMENTO

Se você esquia, sabe que precisa de vários equipamentos para manter seu hobby: esquis, óculos, botas, bastões, luvas, bagageiro para o teto do carro e, se você for um fanático total, um enxoval completo, incluindo botas de pelo para depois de esquiar. Se você pratica algum esporte, deve ter bolsas próprias para carregar os materiais e vários equipamentos como calçados adequados, joelheiras, munhequeiras, cotoveleiras e o inevitável tubo de uma pomada fedorenta para aliviar dores musculares.

Quando chegam os filhos, nós também precisamos de uma série de equipamentos especializados para o bebê. Os primeiros dois itens básicos que você precisa providenciar são:

- um carro maior e
- uma casa maior.

E, para conseguir esses dois, você precisa de um salário maior. Simples assim.

Quando você tiver seu novo carro, maior, e sua nova casa, maior, terá bastante espaço vazio para preencher com as coisas do bebê. Mas atenção! Uma voltinha pela loja de equipamentos para bebês do seu bairro vai deixá-lo tonto com a variedade quase infinita de produtos, acessórios e objetos de todos os tipos disponíveis no mercado. E se você disser à simpática vendedora "vou querer um de cada, por favor", então é melhor que tenha levado uma frota de caminhões para transportar tudo isso até sua casa, que terá de ser do tamanho do palácio do governo.

Você precisa saber escolher o que comprar. Quando Adão e Eva tiveram filhos, eles não tinham todas essas coisinhas e brinquedinhos que nós temos agora, mas parece que eles se viraram bem. Portanto, antes que você tenha que renegociar pela terceira vez a hipoteca de sua casa, converse com sua mulher e procurem decidir, juntos, o que é realmente necessário e o que vocês podem, de fato, comprar.

Se vocês pretendem ter mais de um filho, provavelmente comprar será a opção mais econômica. Mas, se você não quiser gastar todo esse dinheiro de uma só vez, poderá alugar alguns itens. Lembre-se também de que algumas coisas vocês receberão de presente. Com sorte, poderão ter amigos que já fecharam a fábrica de bebês e estão muito interessados em se livrar de alguns desses equipamentos, transferindo-os para vocês. Os anúncios classificados também têm muitos produtos de segunda mão. Caso você decida optar por essa alternativa, não se esqueça de verificar se o produto tem intacta a etiqueta que indica conformidade com as normas locais. Fique atento, sobretudo, para não comprar equipamentos de má qualidade: você certamente não vai querer expor seu filho a produtos baratos, vagabundos ou perigosos. Os órgãos de defesa do consumidor têm folhetos e páginas de internet com muitas informações detalhadas e valiosas.

Outra coisa muito importante:

Não caia na tentação de comprar coisas só porque combinam com a decoração do quarto do bebê ou porque você quer que seu filho se pareça com os bebês das fotos de propaganda da loja. Conheço um casal que comprou um desses carrinhos de bebê enormes, de estilo principesco, só porque achava que seria muito chique desfilar com ele pelo parque. O carrinho era mesmo lindo... Mas não era dobrável, por isso eles não podiam colocá-lo no carro nem era fácil guardá-lo em casa. Também era quase impossível limpá-lo. Em suma, o carrinho era bem inútil.

Portanto, ao comprar qualquer produto:
- verifique se é forte;
- verifique se há lugar para ele na sua casa;
- verifique se não há risco de caber na boca do bebê;
- verifique se, depois de comprá-lo, você ainda terá dinheiro para comprar comida para o resto da semana;
- verifique se é lavável – de preferência, o objeto deve suportar um banho de mangueira no quintal. Alguns produtos vêm com uma etiqueta que mostra o símbolo internacional de irradiação. Isso significa que o produto resistiu a uma explosão nuclear e, portanto, tem uma boa chance de durar seis meses na mão de um bebê.

Ao se decidir sobre o que comprar, sempre procure o selo do INMETRO – Instituto Nacional de Metrologia, Normalização e Qualidade Industrial.

Leia a seguir alguns itens que poderão ser úteis para você.

O QUARTO DO BEBÊ

Lugar de ficar

Seu bebê precisa de um lugar para viver. Certos pais preferem que o quarto do bebê seja junto do seu. Eles gostam da segurança de saber que o bebê está logo ali e acham que esse arranjo é mais confortável e aconchegante para o bebê, em vez de deixá-lo sozinho em um quarto escuro e distante. Conheço casais que adotaram essa opção e se saíram muito bem. Por outro lado, um casal amigo nosso fez isso por algumas semanas, mas depois ambos se sentiram exaustos porque acordavam sempre que o bebê se mexia ou fazia algum ruído.

Também conheço casais que decidiram colocar o bebê não apenas no seu quarto, mas na cama com eles. Pode ter funcionado bem para eles, mas eu não defendo essa ideia. Uma vez, eu adormeci com Rachael na nossa cama e tive o pior sono da minha vida, todo entrecortado. Os médicos também costumam desaconselhar essa prática por causa do risco de o bebê ficar preso no meio dos lençóis e cobertores, escorregar e cair entre a cama e a parede ou ainda ser esmagado pelo pai se esse tiver um sono muito pesado (ou se tiver bebido um pouco).

Pessoalmente, gosto de ter meu espaço e acho que é uma boa ideia que o bebê também tenha o espaço dele. Preferivelmente, esse espaço deve ser em algum lugar onde ele o incomode menos – por exemplo, na China.

No caso de Rachael, tivemos a sorte de dispor de um quarto de sobra, que pudemos transformar para ela. Se você pretende fazer esse tipo de reforma, faça o que quiser, menos ficar olhando as fotos de quartos de bebês nas revistas de decoração. Esses quartos são projetados por arquitetos, preparados por decoradores e fotografados por profissionais – e ficam em residências de milionários.

Os quartos de bebê de verdade são pequenos, entulhados de coisas e cheiram mal.

Quando Georgia chegou, não tínhamos outro quarto para reformar e não era viável colocá-la junto com Rachael. Por isso, "construímos" um quarto de bebê no corredor. (Quando ela cresceu, passou a dividir o quarto com Rachael, e Matilda se tornou a nova dona do corredor.) Onde quer que seu bebê fique, há algumas coisas que podem tornar sua vida bem mais fácil. Um ventilador ou aquecedor pode ajudar a controlar as variações extremas de temperatura. Uma cadeira confortável, com um tapetinho e um apoio para os pés é uma boa ideia para as mamadas noturnas, se não for possível amamentar o bebê na cama.

Outra necessidade é um desses brinquedinhos de corda que tocam músicas de ninar. Infelizmente, a opção mais comum no mercado é a *Canção de Ninar*, de Brahms. Você sabe qual é, não sabe? Aquela que toca "la-la-laa, la-la-laa, la-la-laa-laa-la-laa-laa…" Com certeza, Brahms era um sádico e você logo irá descobrir que ouvir essa música, muitas vezes seguidas, é algo bem próximo de uma tortura chinesa.

Lugar de dormir

Bebês novinhos precisam de um lugar para dormir. Eles devem ser colocados em um moisés, um cesto ou um carrinho, algo que seja confortável e aconchegante. As camas normais são muito grandes para eles e, com o tempo, eles podem rolar ou cair. (Como eu já disse, não divida sua cama com o bebê. Isto é, a menos que você não se importe de dormir na beirada de madeira, receber chutes nas costelas a noite inteira ou destruir, por vários meses, suas chances de produzir outros filhos.)

> TODO MUNDO GOSTA DE TER UM ESPAÇO SÓ SEU, E É BOM QUE O BEBÊ TAMBÉM TENHA O DELE.

Não se deixe levar pelas propagandas fantasiosas das revistas de bebês. Um berço de cedro, em estilo colonial, com entalhes decorativos e cobertura de rendas pode até ser atraente, mas vai lhe custar uma fortuna. Se você acha que o bebê vai se importar com a estética do berço, pense bem. Conheço um casal que colocava o bebê para dormir dentro de um cesto de roupa bem firme e pesado. Isso é o que eu chamo de criatividade.

Para evitar o risco da chamada morte súbita na infância, o bebê deve dormir em um local sem objetos perigosos, como lençóis e edredons soltos e volumosos, mantas, travesseiros, bichos de pelúcia, almofadas, mamadeiras e cobertores elétricos.

Alguns tipos de moisés podem ser montados em balanços para ninar o bebê, mas atenção: o bebê não deve ser submetido a um movimento igual ao da "barca viking" do parque de diversões. Não é bom para os bebês ficarem de ponta-cabeça. Recomenda-se que o movimento não ultrapasse 10 graus em relação à posição de repouso.

Quando o bebê cresce, um berço é o local mais apropriado para as suas peripécias noturnas. O berço deve ter grades altas, para que o bebê não caia nem tente passar por cima das grades. Precisa ter um colchão que resista a inúmeros ataques de líquidos corporais tóxicos. E, se tiver rodinhas, elas devem ter travas.

Não caia na tentação de pintar o berço. Seu bebê logo terá dentes afiados e passará boa parte do tempo mordendo as grades do berço. E, como todos nós sabemos, tinta *não* pertence a um dos cinco principais grupos de alimentos.

Roupinhas

Bebês são bem menores que adultos. Sendo assim, qualquer tentativa de vesti-los com as roupas que não servem mais em você será um rematado fracasso. Eles precisam de macaquinhos, macacões, calças, casacos, camisetas, mantinhas, meias e pijaminhas, à disposição, conforme o tempo lá fora. A maioria dos bebês começa vestindo o tamanho 000 – isso prova como eles são pequenos, porque nem chegam a aparecer na escala!

À medida que eles crescem, você vai precisando expandir e atualizar, permanentemente, o guarda-roupa deles, em ritmo vertiginoso, do ponto de vista bancário. Procure sempre fazer compras racionais e não obedecer aos últimos ditames da moda. E não saia correndo para as lojas. Se você tem muitos amigos e parentes, espere, porque todo mundo gosta de dar roupinhas de presente aos recém-nascidos. Quando Rachael nasceu, precisamos de uma pá para arrumar todas as roupas que ela ganhou. Na verdade, foram tantas que Georgia e Matilda usaram essas mesmas roupas por vários anos.

No entanto, acabamos percebendo que as roupinhas de segunda mão têm uma desvantagem: hoje, quando eu olho nossas fotos de família, não consigo dizer qual é qual das minhas filhas, porque elas estão sempre vestidas do mesmo jeito.

Nada de obsessão por modismos...

Lugar de trocar

Na hora de trocar a fralda ou as roupas do bebê, você vai precisar de um leque de apetrechos, como clipes, fita adesiva, fraldas, calcinhas, loções, cremes, toalhinhas higiênicas, sacos plásticos, trocadores, lenços de papel, máscaras contra gás, luvas de solda e um incinerador doméstico para destruir todos os contaminantes. O melhor é escolher um lugar onde toda essa parafernália possa ficar concentrada e guardada.

Você sempre poderá usar o chão como trocador, mas isso significa que terá que se abaixar e se levantar o dia inteiro, como se fizesse aeróbica. Se você tiver espaço em casa, talvez valha a pena investir em uma dessas banheiras de armar, que fechadas se transformam em trocador e têm compartimentos em toda a volta para guardar todos os apetrechos. Se decidir comprar uma dessas, compre uma que seja bem firme.

O principal problema dos trocadores, para mim, é que eles são projetados para Hobbits. Se você tiver mais de 1,80 m, como eu, o fato de ficar arcado vai provocar uma dor nas costas que ficará com você o dia inteiro. Para nós, o que funcionou bem foi um simples acolchoado de espuma que colocamos sobre a cômoda-gaveteiro do bebê. Ficou suficientemente elevado para mim e não precisamos entulhar o quarto com mais um móvel.

> Nunca deixe o bebê sozinho no trocador – nem por um segundo.

Mas aqui vai um alerta: os bebês recém-nascidos são bastante dóceis e ainda não sabem como se agitar, torcer ou escapulir enquanto você tenta trocar a fralda ou vesti-los. Mas, quando crescem um pouquinho, eles desenvolvem uma habilidade escorregadia de se jogar de cima do trocador. Nunca deixe o bebê sozinho no trocador – nem por um segundo. Prepare todos os apetrechos antes de colocar o bebê sobre o trocador. Se você tiver que se virar para pegar alguma coisa, continue segurando o bebê firmemente com uma das mãos.

Babá eletrônica

Se o quarto do bebê for distante do seu ou da principal área de estar da casa, você poderá instalar uma babá eletrônica – se o bebê chorar, você terá que ir até lá desligá-la.

Esse recurso é particularmente útil se você mandou fazer, para o seu bebê, um quarto à prova de som ou adaptou para ele o abrigo nuclear da sua casa, três andares abaixo do nível da rua.

Iluminação

Nas primeiras semanas, provavelmente, você irá inspecionar o bebê várias vezes durante a noite. Naturalmente, isso só será possível se você conseguir *enxergar* o bebê. Quando o bebê está adormecido e você acende a luz normal, do teto do quarto, é como se um avião estivesse pousando diretamente sobre o rosto do bebê. Não é de surpreender que ele não fique muito feliz com isso.

Uma simples lâmpada de segurança noturna custa pouco e resolve o problema. Elas são muito pequenas, emitem luz de baixa intensidade e gastam muito pouca energia. Permitem visitas discretas e sossegadas ao bebê no meio da noite.

Decoração

É engraçado como muda a decoração da casa depois que você tem filhos. Houve uma época em que nossa casa era decorada com elegantes fotos em preto e branco e gravuras artísticas. Hoje, as paredes estão cobertas de pôsteres de coelhos de casaca, trenzinhos com caretas nas janelas e bananas gigantes vestidas com pijamas listrados.

Não me admira que as crianças tenham pesadelos.

É bom decorar o quarto do bebê com motivos coloridos e interessantes. Existem inúmeras opções de pôsteres e molduras de bichinhos, números, letras e notas musicais. Evite as imagens de vampiros e mulheres nuas. Evite também artigos originais renascentistas italianos pintados à mão. Eles o levam à bancarrota e não parecem tão bonitos quando lambuzados de ovo e purê de batata.

Enquanto Meredith estava no hospital, pendurei na parede do quarto do bebê um pôster do *Exterminador do Futuro 2*, mas isso a deixou muito zangada quando chegou em casa.

Não faça isso.

Nem de brincadeira.

Bichos de pelúcia

Há muitos mistérios em nosso universo:
- Por que os reality shows da TV são tão populares?
- Quem matou Kennedy?
- Onde está Wally?
- Por que os atletas gritam quando fazem um salto?
- Qual é o segredo de Tostines®?

Nenhum desses nos deixa tão perplexos, no entanto, quanto o mistério dos bichos de pelúcia.

Temos mais de cem bichos de pelúcia em casa. Não compramos nenhum deles – foram todos presentes. Temos coelhinhos de pelúcia, ursinhos de pelúcia, patinhos de pelúcia, vaquinhas de pelúcia, burrinhos de pelúcia, macaquinhos de pelúcia, pinguins de pelúcia, porquinhos de pelúcia, cachorrinhos de pelúcia, versões em pelúcia de todos os personagens de desenhos animados e dos filmes da Disney e todo tipo que se possa imaginar de marsupial de pelúcia. E – o que é pior – metade deles grita ou tem guizos no pescoço.

O que mais me apavora é que, no começo, tínhamos apenas uns 20. (Já é assustador, não?) Então, de onde vieram os outros? É claro que eles estão se reproduzindo. Estão planejando conquistar nossa casa. Uma noite dessas, vamos acordar com gritinhos abafados e ruídos de guizos descendo a escada e tudo vai virar um filme de horror de segunda categoria chamado *A Noite dos Bichos de Pelúcia*.

Não compre bichos de pelúcia. Eles aparecerão em sua casa de qualquer modo.

E mais uma coisa. Mantenha esses bichinhos longe do berço ou do carrinho do bebê. Não há problema em tê-los sobre uma prateleira ou no parapeito da janela, mas as recomendações mais recentes para se evitar a morte súbita na infância preconizam que eles fiquem longe do local onde o bebê dorme. Além de obstruírem a respiração, eles são aterrorizantes para o bebê.

HIGIENE

Baldes

Se você pretende usar fraldas de pano, ou se a fralda descartável vazou e sujou a roupa do bebê, vai precisar de baldes específicos para colocar esses itens de molho. A Organização Mundial da Saúde adverte: "não use a pia da cozinha". E, se você usar a pia do banheiro, fazer a barba vai se tornar uma experiência bem desagradável.

Compre dois baldes grandes, com tampa, e coloque as roupas lá dentro, de molho. Deixe-os sempre no banheiro ou na lavanderia, perto de uma torneira, em local onde não haja problema se a água de dentro respingar para fora. Não deixe que o bebê se aproxime.

Banho

Os bebês precisam ser limpos. Entretanto, eles não sabem muito bem como fazer isso sozinhos. Eles não são como nós e não podem, simplesmente, tomar um bom banho de chuveiro. A melhor maneira de limpá-los é um bom banho de banheira, mas a sua banheira, para eles, é como uma piscina olímpica. Além de gastar muita água com uma pessoa tão pequena, você vai ficar com dor nas costas por causa da posição encurvada.

Você pode colocar seu bebê na banheira junto com você ou, como ele é muito pequeno, lavá-lo na pia ou no tanque. Nós não tínhamos uma pia adequada para isso, nossa banheira era muito grande e não servia para essa finalidade, por isso compramos uma banheirinha de plástico. É um item barato, fácil de encontrar e pode ficar apoiado sobre a bancada da pia da cozinha ou do banheiro. Junto com a banheira, você vai acabar comprando um grande sortimento de toalhas finas e felpudas, além de brinquedinhos que flutuam e emitem gritinhos quando são apertados.

Outros apetrechos

Você vai precisar de muitas outras coisas para dar banho ou trocar o bebê. Não sei bem para que elas servem, mas, como todo mundo tem essas coisas no quarto do bebê, eu acho que você não vai querer parecer negligente.

Entre essas coisas, podemos citar óleo hidratante, óleo de limpeza, óleo para massagem, óleo para o motor, loção para bebê, talco para bebê, um tapetinho macio, uma meia velha cheia de areia (não me pergunte nada), moletom, xampu para bebês, pomada de zinco, escova de cabelo macia, cotonetes, bolinhas de algodão, lenços absorventes, álcool, toalhas felpudas, pente e vários potes de alguma coisa cinzenta e amorfa, não identificável.

ALIMENTAÇÃO

Mamadeiras e outras coisas mais

Para alimentar o bebê, você precisa de:
- dois seios cheios de leite ou
- uma lata de leite em pó infantil e um kit de mamadeira.

Mais tarde, você vai precisar de:
- uma despensa cheia de farinhas de cereais, gelatinas de frutas, bolachas e pudins;
- uma coleção de pratinhos, toalhas, talheres e copinhos, tudo muito bonito e próprio para bebês; e
- um cadeirão (ver adiante).

Uma coisa que eu não sabia antes de ter filhos é que o leite materno também podia ser colocado na mamadeira. Isso nos leva à pergunta: como fazer esse leite entrar na mamadeira? Com uma bomba de sucção, é claro.

Quando ouvi, pela primeira vez, a expressão "bomba de leite", visualizei Meredith presa à ordenhadeira da fazenda do meu tio George

> SE O SEU BEBÊ NÃO TOMA TODO O LEITE MATERNO, ELE PODE SER SUGADO COM UMA BOMBA, DATADO E CONGELADO PARA CONSUMO POSTERIOR.

– uma engenhoca barulhenta, cheia de graxa, que fica em um canto do curral.

Felizmente, as bombas de leite não são assim. São pequenas e delicadas. Existem bombas manuais, que se assemelham a uma seringa com uma boca larga, e as elétricas, que têm um pequeno motor. Quando você consegue "sugar" o leite com a bomba, ele pode ser congelado em vasilhas ou fôrmas de gelo, devidamente rotuladas com a data, para uso posterior. Sua mulher pode formar um estoque durante algum tempo, para ser usado, por exemplo, pela babá, quando vocês precisarem sair. Naturalmente, também nesse caso você precisa ter uma coleção de mamadeiras, bicos e um kit para esterilização. Quando o bebê crescer mais, as mamadeiras poderão ser usadas para água ou suco.

Bebê conforto

Quando nossas meninas cresceram um pouquinho, descobri que o bebê conforto era uma ótima opção para afastá-las um pouco do chão e colocá-las semissentadas, de modo que elas pudessem olhar o mundo à sua volta. Atente para a expressão "afastar um pouco do chão". O bebê conforto só deve ser usado no chão e nunca, mas nunca mesmo, deve ser colocado sobre uma mesa ou bancada. O risco de virar e provocar a queda do bebê é muito grande.

Como professor de História, notei algo muito interessante no bebê conforto. Seu desenho é exatamente igual ao das catapultas medievais, projetadas para arremessar objetos pesados e, geralmente em chamas pelo ar, com a intenção de causar muitos danos à parte receptora. É muito importante, então, que você nunca abaixe e solte subitamente as costas do bebê conforto – o resultado será catastrófico.

Cadeirão

Geralmente, quando os bebês começam a sentar, também estão começando a comer alimentos mais "sólidos". Entretanto, se você tentar sentar seu bebê à mesa com a família, você o verá desaparecer pelo espaldar da cadeira.

Por isso, o cadeirão é um bom investimento. O bebê pode ficar com vocês à mesa de refeição e todos os convidados poderão ver de camarote quando ele pegar o prato de espaguete e derrubar na cabeça.

Lembre-se de comprar um cadeirão lavável (ele deve resistir a um banho em solvente de alumínio), forte (que não se dobre sozinho) e seguro (com cinto de segurança que impeça o bebê de se libertar como Houdini).

TRANSPORTE E MOBILIDADE

Bebês não andam

Eles nem conseguem engatinhar até os seis ou sete meses, às vezes mais.

E, mesmo quando aprendem a engatinhar, ainda são bastante lentos. Algo tão simples como ir ao supermercado da esquina levará várias horas – sem falar dos danos aos joelhos do bebê. Por isso, os modernos projetistas de objetos para bebês vieram em nosso socorro e inventaram vários acessórios para transportar o bebê.

No carro

É inacreditável, mas, às vezes, quando paro meu carro no semáforo, olho para o lado e vejo um pai ou uma mãe dirigindo com o bebê no colo. Pior ainda, alguns com o bebê preso com o cinto de segurança do adulto.

Crianças devem ficar bem seguras no carro. Usar o cinto de segurança de adulto não funciona (o bebê se curva para a frente sobre o cinto) e só causa multas e tragédias em caso de acidente. Por exemplo, se você estiver dirigindo a 60 km/h, com o bebê solto no banco, e bater em outro carro, o efeito será o mesmo de deixar seu bebê cair do segundo andar sobre uma calçada de concreto. Tenho certeza de que nenhum pai responsável vai querer fazer isso com o filho.

A lei exige que você tenha um moisés ou um bebê conforto para transportar o bebê no carro. Durante algum tempo, esse será o lugar do seu filho no carro (até que ele tenha 13kg – aproximadamente um ano de idade). Esse tipo de equipamento também pode ser usado para carregar o bebê, na mão, por curtos períodos. Se você não quiser comprar esse equipamento novo, poderá alugá-lo ou comprar um de segunda mão.

Quando o bebê cresce um pouco, ele muda de status e passa a ter direito a um assento ou uma cadeirinha (é um assento, todo acolchoado, com cinto de segurança próprio, além de dispositivos para prendê-lo ao banco do carro). Finalmente, para crianças maiores, usa-se o chamado "booster", que é um apoio de assento de espuma, forrado de tecido, com tirante de contenção – a criança pode, então, usar o cinto de segurança do veículo. Se você decidir comprar uma cadeirinha de segunda mão, lembre-se de verificar se ela esteve envolvida em algum acidente ou se foi danificada de outra maneira. Verifique se há sinais de vômito ou de outros líquidos corporais desagradáveis no estofamento. Se o cinto estiver desgastado, você poderá mandar trocar os tirantes em uma assistência técnica autorizada pelo fabricante.

> A LEI EXIGE QUE VOCÊ TENHA UM MOISÉS OU UM BEBÊ CONFORTO PARA TRANSPORTAR O BEBÊ NO CARRO.

Se o seu carro for de modelo antigo, veja se ele tem os meios para prender a cadeirinha ou o bebê conforto. Quando Rachael nasceu, nós tínhamos uma van antiga, sem o dispositivo adequado para adaptar a cadeirinha ou o moisés, por isso tivemos que mandar fazer uma barra e instalar no banco de trás.

Não espere até a chegada do bebê em casa para descobrir que seu carro não tem condições para prender o bebê conforto! Vá cuidar disso agora. E aí, já foi?

A bolsa do bebê

Sempre que você sair com o bebê, vai precisar de uma espécie de kit de sobrevivência – a bolsa do bebê. Temos uma que chamamos de Kombi, porque cabem mais coisas dentro do que parece por fora e mais do que as leis da física poderiam permitir.

Dentro dela, carrega-se tudo o que o bebê pode vir a precisar: filtro solar, fraldas, calça plástica, frasquinhos com leite, boné, chupeta, mamadeiras, lenços de papel, algodão, lenços umedecidos, roupas sobressalentes, livros, brinquedinhos, potinhos, colheres, babadores, sacos plásticos, um tapetinho felpudo, uma bússola, 40 metros de corda e um celular programado para ligar para o serviço de resgate.

O carrinho

O bebê pode ser pequeno, mas logo ficará bem pesado. Você não pode, simplesmente, ficar com ele no colo o tempo todo. Graças às rodas, o carrinho permite que você leve seu bebê para todo lado sem precisar suportar tanto peso.

Nos países de clima quente, é importante que o carrinho proteja o bebê do sol. Alguns carrinhos têm capotas extensíveis ou sombrinhas acopladas, mas, se não for o caso, o carrinho do seu bebê deve ter algum apoio para que você coloque ao menos uma toalha sobre ele, de modo a manter o bebê na sombra.

Nós compramos um carrinho que custou mais que o meu primeiro carro. Mas ele tinha mais acessórios: quatro rodas duplas, todas com travas, assento reclinável, suspensão independente, estrutura totalmente reversível, compartimento de bagagens, capota para sol e chuva, amortecedores, guidão ajustável, cinto de segurança, estribo e rodas do tipo "biga", como no filme *Ben-Hur*, capazes de rasgar o tornozelo de qualquer pessoa suficientemente estúpida para barrar a nossa passagem. O carrinho podia rodar bem rápido sem que as rodas oscilassem, era leve para quem empurrava, confortável para o bebê, fácil de limpar, dobrável, sem precisarmos assistir a uma aula em vídeo, e além de tudo, servia como moisés em viagens com o bebê.

Mais recentemente, os carrinhos do tipo *jogger* se popularizaram. Você com certeza já viu um desses, empurrado por uma mãe ou um pai em trajes de corrida. Esses carrinhos do tipo triciclo são projetados para terrenos mais exigentes, o que se pode comprovar pelo fato de eles se assemelharem àqueles veículos robôs usados para explorar a superfície do planeta Marte. Têm pneus grossos, suspensão com molas, assentos acolchoados, estrutura de liga leve, cintos de corrida, suportes para copo na parte traseira, capotas de chuva que suportam ciclones e vêm equipados com GPS. O tecido é forte, semelhante ao material de barracas de acampamento, e os modelos recebem nomes audaciosos e sugestivos, como Safári, Explorer, Pioneer e Adventurer. São ótimos quando você quer levar seu bebê para passear numa trilha de montanha.

Enfim, saiba que você vai usar muito o carrinho. Por isso ele deve ser bom.

Canguru

Há lugares em que não é prático levar o carrinho – por exemplo, se você for escalar o Everest com seu bebê. Mas também é o caso do supermercado – você precisa ter a mão livre para pegar as mercadorias das prateleiras, outra mão para empurrar o carrinho do supermercado e outra para carregar o bebê ou empurrar o carrinho dele. Ou seja, três mãos, o que pode ser um problema para muitas pessoas.

Então, o que fazer?

Você pode levar o bebê no moisés e colocá-lo no carrinho do supermercado, mas nesse caso o carrinho só terá lugar para duas latas de conserva e um molho de cebolinha. Felizmente, os grandes supermercados já dispõem de carrinhos adaptados para bebês: com assentos reclináveis para recém-nascidos ou mais verticais para bebês maiores e até alguns que parecem carrinhos de campo de golfe para gêmeos. E ainda existem as tradicionais cestas que se podem encaixar no carrinho comum de compras. Decerto há muitos outros locais onde não podemos usar carrinhos (na verdade, a maioria das lojas que não são supermercados) e nesses locais o canguru pode ser bem útil. Os suportes de peito são mais apropriados para bebês pequenos (como os dos nativos, mostrados no *National Geographic*) e o suporte para as costas é melhor quando o bebê já está mais crescido.

No começo, eu pensei que poderíamos simplesmente enfiar o bebê na mochila que me acompanhara em todas as minhas viagens pela Europa. Afinal, ela era bem espaçosa, tinha uma estrutura robusta e várias etiquetas coloridas de lugares interessantes que eu havia visitado. Não entendi por que o bebê não gostou muito dela e as pessoas na rua me olhavam como se eu fosse algum maluco. Por isso, compramos um bebê canguru bem acolchoado e resistente. Esse equipamento é ótimo para ir ao zoológico, ou ao clube, fazer compras ou um simples passeio no parque. O bebê fica encaixado num lugar bem alto e pode ter uma boa visão do que se passa em volta; pode também expressar o que pensa de você, babando em sua cabeça ou arrancando grandes tufos do seu cabelo.

O sling é uma boa opção

Nos últimos anos, os tradicionais porta-bebês de tecido, chamados *baby slings*, ganharam muitos adeptos. Eles consistem em uma enorme tira de pano que fica apoiada sobre um dos ombros e faz uma volta pelo peito e pelas costas da pessoa. Há também a opção de uma longa faixa de tecido elástico, que você enrola no seu corpo seguindo um complicado ritual e depois coloca o bebê dentro dela. Essas opções são muito usadas pelo pessoal das comunidades hippies, mas, se você é do tipo que acha muito complicado fazer um nó de escoteiro, desista, elas não servem para você. A vantagem desses *slings* é que eles permitem um contato íntimo com o bebê (e a mãe pode facilmente amamentar em movimento) e você fica com as duas mãos livres para o que precisar – lavar, passar, varrer ou fazer rapel.

Andador

Para ser franco, não sou muito chegado a essa coisa e meu conselho é que você fique longe disso. O andador parece interessante na propaganda, mas o problema é que ele dá ao bebê um grau de mobilidade para o qual ele talvez não esteja preparado – é como dar as chaves do carro ao seu filho de 10 anos. No andador, o bebê consegue se mover pela casa a 30 km/h e acaba usando esse "veículo" para golpear tudo o que vê pela frente. O andador também permite que o bebê fique em pé e alcance objetos caros e proibidos.

Eu sou da velha escola e acho que os bebês devem andar quando estiverem prontos para isso, considero um tanto pretensioso querer adiantar as coisas. Também parece que os bebês que usam andador acabam se acostumando com a ajuda e demoram mais para andar sozinhos. O mais importante é que considero os andadores perigosos. As casas são cheias de degraus, desníveis, cantos vivos e fiação elétrica para permitir que um aspirante a piloto de Fórmula 1 pratique suas habilidades nesse ambiente.

As entidades de proteção à criança costumam desaconselhar o uso de andadores.

Chiqueirinho

Ao contrário do carrinho e do bebê canguru (projetados para aumentar a mobilidade do bebê), o chiqueirinho tem um objetivo exatamente oposto, ou seja, garantir a imobilidade do bebê.

Quando os bebês crescem um pouco, eles gostam de se movimentar pela casa, buscando coisas para destruir. Pode ser difícil monitorar seus movimentos o dia inteiro, por isso alguns pais colocam seus bebês nessa jaulinha portátil que se chama chiqueirinho (ou cercadinho, para alguns). É um equipamento interessante, projetado, na verdade, para benefício dos pais exaustos, e não para agradar o bebê.

> QUANDO O BEBÊ CRESCE UM POUCO, PASSA A SE MOVIMENTAR PELA CASA, E PODE SE TORNAR DIFÍCIL MONITORAR TODOS OS MOVIMENTOS DELE.

Alguns pais garantem que o chiqueirinho é um sucesso. Eu não recomendo porque minha experiência pessoal foi negativa – a única vez em que tentei colocar Rachael em um desses, ela não gostou nem um pouco. E expressou seu descontentamento arrancando a fralda suja e criando desenhos inovadores no carpete com o conteúdo da fralda. Desde então, nunca mais tentei.

Se você quiser comprar um chiqueirinho para seu bebê, use o bom senso. Procure um que seja forte e estável – nada de farpas, tinta tóxica, cantos vivos, dobradiças que esmagam dedinhos, barras que prendem cabeças. E sobretudo não pense que a relativa imobilidade do bebê é sinônimo de segurança – nunca deixe seu bebê sozinho... Pense em seu carpete.

Então, como ficamos depois de tudo isso? Com a casa abarrotada até o teto de quinquilharias para o bebê. E quanto tudo isso vai custar? Para ajudá-lo a calcular seu saldo negativo, fiz um rápido cálculo (em dólares australianos) dos gastos que tive com minhas três filhas nos cinco primeiros anos de vida delas.

Renda perdida	200 000
Carro maior (usado)	30 000
Ampliação da casa	150 000
Mobília de quarto	3 000
Pré-escola	5 000
Aulas de natação	3 000
Aulas de balé	1 000
Sapatilhas de balé	250
Todos os outros sapatos	750
Conta de água em excesso	800
Comida jogada no chão	1 000
Carrinho	750
Cadeirinhas de carro/ bebê conforto	350
Fraldas	3 000
Louças e talheres indestrutíveis	50
Limpador de carpete	400
Bombeiro hidráulico (fraldas entupindo o vaso sanitário)	650
DVDs de desenhos infantis	300
Consertos no aparelho de DVD	175
Joias extraviadas pela curiosidade	6 500
Pônei	3 000
Ração, estábulo, ferraduras, selas, vermífugo para o pônei	1 200
Anúncio nos classificados para vender o pônei	4 000
Aspirina	200
Câmera para fotos/filmagem	1 500
Fitas de vídeo	350

Como você já deve estar percebendo, criar filhos não é barato. Na verdade, os levantamentos mais recentes indicam que os custos médios, para uma família com dois filhos, são de aproximadamente

450 mil (dólares australianos) até que eles cheguem aos 20 anos de idade.* Felizmente, eu não conhecia esses números quando nossas filhas nasceram, o que me salvou de pesados honorários médicos por úlceras e pressão alta.

É muito fácil olhar para esses números e se sentir desanimado. Não fique. Com certeza, os filhos reduzirão sua renda disponível durante boa parte da vida deles, mas e daí? Vale a pena. No que mais você gastaria seu dinheiro? Aeromodelismo? Roupas da moda? Um carro conversível? Cerveja? (não responda). Os filhos são uma aplicação boa e válida do seu dinheiro.

Mas, antes de deixarmos definitivamente para trás o assunto compras, eu gostaria de lhe dar um último conselho. Cuidado com os "intrometidos", esses completos estranhos que nos abordam no supermercado, nas lojas de artigos para bebês e nos eventos sociais e, mal veem sua mulher grávida, começam a passar a mão na barriga dela, como se fosse um objeto de domínio público. "Para quando é o bebê?"; "Que lindo!"; "Nossa! Como é grande..."; "Ele chuta muito? Deixa eu ver. Nossa, que chute!" Bem assim! E depois vão embora.

Felizmente, esse tipo de tortura é infligido apenas às mulheres grávidas. Acho que eu não gostaria nem um pouco que um estranho pegasse nos meus testículos e dissesse "que gracinha!"

APRENDA!

Em 1830, sir Walter Scott escreveu a um amigo: "Todos os homens que se tornaram pessoas de valor foram os que assumiram responsabilidade pela própria educação." Essa máxima se aplica, particularmente, à condição de ser pai. Minha percepção é a de que a maioria dos homens é exatamente como eu era na vida pré-filhos – ou seja, não tem nenhum conhecimento sobre gravidez, parto e sobre como é

---

* Trabalho apresentado por Richard Percival e Ann Marding, do Centro de Desenvolvimento de Modelos Sociais e Econômicos da Universidade de Canberra, no Congresso do Instituto Australiano de Estudos Familiares, em Melbourne, em fevereiro de 2003.

cuidar de um bebê. É um assunto totalmente estranho para eles. Fora do seu âmbito de experiências de vida.

Mas, se você quiser ser um pai ativo e participativo, não poderá simplesmente comprar um ingresso e assistir ao espetáculo com uma atitude de vago distanciamento. Você precisa começar a se fazer perguntas importantes e investigar os fatos. O que acontece durante a gravidez? O que acontece durante o trabalho de parto? Como se cuida de um filho? Será que me esqueci de despejar o lixo? E se eu desmaiar? E como foi exatamente que minha mulher engravidou, para começo de conversa?

Em suma, como disse Walter Scott, se você quiser ter algum valor como pai, pode começar a aprender. Quando você adota o processo de autoinstrução, alcança três objetivos. Primeiro: começa a entender o que os médicos estão dizendo. Por exemplo:

"Sr. Downey, a episiotomia causou uma epidural cesariana e lamento dizer que o seu fórceps foi cervicado no momento de pânico. Consequentemente, nosso monitor fetal aderiu à tampa do berço. É possível que o colostro resolva o problema, mas se o senhor ainda estiver preocupado, desça até o andar pélvico e peça para falar com Braxton Hicks."

> SE VOCÊ QUER SER UM PAI ATIVO, NÃO BASTA ASSISTIR A TUDO DE LONGE; É PRECISO QUESTIONAR E PARTICIPAR.

Em segundo lugar, saberá o que esperar. Por exemplo, o que acontece quando você vai para o hospital e até que ponto sua vida e sua conta bancária serão totalmente arruinadas a partir daí.

Em terceiro lugar, você ficará mais forte e preparado para o espetáculo visual do parto propriamente dito.

Quando eu lecionava na escola secundária, tive um aluno chamado Thomas Hopman. Lembro-me dele porque sempre que tentávamos ver algum filme remotamente relacionado à gravidez ou ao parto, ele começava a piscar e, depois, ia ficando pálido, se encurvando e caía desmaiado no chão. Isso causava um tumulto na sala de aula e talvez por isso nunca tenhamos conseguido ver esses filmes até o final. Acho que por essa razão eu era um total ignorante a respeito de tudo o que tem a ver com a paternidade.

Se você é um sujeito sensível como esse Thomas Hopman, vá até uma locadora e procure DVDs com documentários sobre parto e como criar filhos. Alugue um DVD que tenha imagens explícitas do parto. Se o som for estéreo, melhor ainda. Leve-o para casa, apague todas as luzes e assista ao DVD na sua tela de plasma gigantesca, com o volume no máximo. Repita esse processo até conseguir ver tudo sem pestanejar. Você desenvolverá resistência.

Além dos documentários, há uma série de filmes comuns que mostram bebês (ver apêndice 1). Lembre-se, contudo, de que a maioria desses filmes é ruim.

Há várias outras maneiras pelas quais você pode começar seu aprendizado. O simples fato de você estar lendo estas palavras é um sinal de que você já deu o primeiro passo (embora seja provável que tenha sido obrigado a ler este livro por sua mulher ou por sua mãe...). Muito bem! No entanto, não há um livro único que possa lhe trazer todas as respostas, opções, opiniões e os pontos de vista sobre ter e criar filhos. Meu conselho é que você leia – ou pelo menos folheie – todos os livros, revistas e páginas de internet que você puder. Bibliotecas e sebos também são locais confiáveis onde procurar. As práticas e crenças relativas à gravidez, ao parto e à criação dos filhos podem ser muito diferentes de um país para outro e tendem a mudar com o tempo, por isso você deve tentar buscar sempre o que houver de mais recente no seu universo cultural. Nas grandes bancas de jornais e livrarias, você também encontrará uma seção especialmente dedicada a revistas sobre esses temas. Você poderá facilmente identificá-las pelas fotos de capa, que geralmente mostram mães e bebês envoltos por uma névoa romântica. E, se você for do tipo que não gosta de ler, vá a uma livraria e peça um livro do tipo "De onde vêm os bebês?" dizendo que é para o seu filho de 5 anos. Eles são cheios de ilustrações e bem fáceis de entender.

Uma parte importante do seu aprendizado é ganhar familiaridade com o local onde sua mulher vai ter o bebê. Geralmente, os hospitais maternidades oferecem cursos para futuros pais, que incluem visitas à sala de parto e ao berçário. Durante essas visitas, em geral uma enfermeira especializada vai explicar a sequência provável de eventos, desde o momento em que você e sua mulher chegam ao hospital até o momento em que a mãe e o bebê estão em fase de recuperação no quarto enquanto o pai ronca na poltrona.

Você poderá conhecer a área de recepção, a sala de espera, a sala de parto e os quartos. Poderá conhecer todo o equipamento de alta e baixa tecnologia e fazer perguntas. Poderá ainda ficar sabendo onde se localizam as coisas realmente importantes, como os banheiros, a lojinha e o café. É bom também esclarecer onde fica o estacionamento e a entrada de emergência para carros, para o caso de você chegar apressado.

Em nosso primeiro contato com o hospital, um jovem apontou para uma espécie de balde de metal que estava sob a mesa de parto. "Para que serve?", perguntou.

Houve uma pausa.

"Para as fezes", disse a enfermeira secamente.

Vários homens ficaram visivelmente abalados com essa resposta. Um silêncio mortal se abateu sobre o recinto. Continuamos a visita, mas nunca mais fomos os mesmos.

Alguns hospitais organizam encontros à noite, geralmente com palestrantes ou convidados. Mas, se eles forem mostrar algum filme, não coma antes de ir. Os hospitais também costumam ter bons panfletos e folhetos que abordam várias questões de interesse para quem vai ter um filho e fornecem informações sobre entidades de apoio.

Muitos hospitais oferecem os chamados "cursos de parto". Para mim, e acredito que para muito outros como eu, essas aulas são uma fonte básica de informações sobre o processo do nascimento de um filho e nos ajudam a nos prepararmos. Nossas aulas se estenderam por cinco ou seis terças-feiras, sempre à noite, e foram excelentes para que Meredith e eu aprendêssemos muitas coisas. Aprendemos sobre a gravidez e o parto, assistimos a palestras e a filmes, tiramos fotos e presenciamos, em PowerPoint e com modelos de borracha, a passagem do bebê pelo canal de parto. Fizemos exercícios de respiração, ensinando um ao outro. Ficamos descalços e aprendemos a lidar com as contrações. Rolamos no chão, gritamos, batemos em nossas pernas e balançamos o corpo para a frente e para trás. Aprendemos a fazer massagens nas costas e alternativas para alívio da dor. Eu aprendi sobre como dar apoio a Meredith. Fizemos perguntas e praticamos posições para o parto. Deitamos dentro de sacos, ficamos agachados, engatinhamos e nos ajoelhamos. Na última noite, uma das novas mamães que estava internada na maternidade veio nos mostrar como dar banho no bebê – com um bebê de verdade!

> MESMO QUE SEJA A SUA MULHER, E NÃO VOCÊ, QUEM TERÁ O BEBÊ, PARTICIPAR COM ELA DE ATIVIDADES E EXERCÍCIOS PARA GRÁVIDAS O AJUDARÁ A CAPTAR O ESPÍRITO DO PROCESSO COMO UM TODO.

Como homem, é possível que você tenha uma sensação de inutilidade ao participar dessas atividades e exercícios porque, obviamente, não é você quem vai ter um bebê. Entretanto, tudo isso o ajudará a captar o estado de espírito de sua mulher durante o parto e a quebrar as barreiras de constrangimento e estranheza que você porventura esteja enfrentando, por ter de demonstrar solidariedade com uma mulher que está gritando, xingando e rangendo os dentes para você.

Portanto, vamos lá! Leia, navegue na internet, assista a DVDs e frequente cursos. É a única maneira de você aprender.

PLANEJAR OU NÃO PLANEJAR?

Nos "velhos tempos", uma mulher grávida tinha pouca voz ativa em relação ao que se passava durante o trabalho de parto. Ela apenas estava lá, como uma incubadora de bebês, e todo o processo era determinado segundo a conveniência do médico. Supostamente, essa é a razão pela qual muitas mulheres dão à luz naquela posição clássica, deitadas de costas, com as pernas levantadas e os pés apoiados em estribos. É fácil e cômodo para o médico. Na realidade, é uma posição horrível para o parto, porque não permite a abertura total do canal de parto. Além disso, o cavalo pode atrapalhar (ops!).

(Conheço um sujeito que ouviu dizer que as mulheres davam à luz na posição em que o bebê foi concebido. Ele ficou preocupado, porque não queria que sua mulher tivesse o bebê na posição de estrela--do-mar. Mas isso é outra história.)

Nos últimos vinte anos, passou a haver muita resistência à obrigatoriedade do parto na posição convencional. Hoje, as mulheres são incentivadas a conhecer tudo sobre o parto e participar no processo de tomada de decisões. Isso é bom, mas, como quase tudo, também nesse caso pode haver exagero.

Muitos casais elaboram um planejamento do parto. Leem, discutem as alternativas viáveis e depois planejam o parto "ideal" para eles. O plano pode consistir em uma série de declarações, como:

- queremos um parto indolor;
- não queremos cesariana;
- não queremos o uso de fórceps;
- queremos que o trabalho de parto dure apenas cinco minutos.

O problema com um planejamento muito detalhado é que, ao contrário do que acontece com a decoração do quarto, você não pode escolher exatamente o que vai acontecer quando chegar a hora de o bebê nascer. É o mesmo que tentar escolher com antecedência se vai chover ou fazer sol no dia de seu casamento. Por isso, muitos casais ficam desapontados – alguns amargamente – porque o parto não saiu como eles haviam pedido.

Muitas coisas podem ocorrer na sala de parto, desde uma emergência médica até alguma intervenção recomendada por seu médico.

A mulher em trabalho de parto pode mudar de ideia quanto à posição mais confortável para ela. Se e quando isso acontece, não adianta dizer "Espere um instante, deixe eu consultar o plano!"

Na verdade, é mais comum ouvirmos a mulher gritar "DANE-SE O PLANO! Não quero saber o que você vai fazer, só FAÇA O BEBÊ SAIR!"

Então, como é que se chega ao meio-termo entre um parto cuidadosamente planejado, no qual você decide tudo, e um parto sobre o qual você não tem nenhum controle?

É importante conhecer as alternativas e discuti-las, vocês dois, com o obstetra. Você pode ter preferências e esperanças, mas deve se manter flexível. Por exemplo, embora Meredith não gostasse da ideia de receber uma anestesia epidural, eu certamente não iria contrariá-la se ela me agarrasse pelo colarinho e gritasse pedindo a epidural na sala de parto. A questão é que ela não precisou de anestesia em nenhum dos três partos. Que mulher!

E se o médico me dissesse "Senhor Downey, vou ter que fazer uma cesariana", eu não teria respondido "Sinto muito, doutor, mas isso não faz parte do nosso planejamento".

É preciso ser flexível com algumas coisas, quando chega o momento.

INDUÇÃO OU ESTIMULAÇÃO

Se o trabalho de parto estiver muito lento, a equipe poderá decidir "induzir" ou "estimular" o processo.

A indução é um meio artificial de desencadear o trabalho de parto quando ele não começa espontaneamente, o que pode ocorrer em razão de algum problema da mãe ou do bebê ou quando a gestação está "passando do tempo". Esse foi o caso de Rachael, que já estava duas semanas atrasada e não parecia querer nascer. A indução geralmente é oferecida quando a gravidez entra na 42ª semana.

A estimulação é simplesmente uma ajuda no processo que já começou, mas está muito lento. Também é um meio artificial de "apressar" o organismo. Pode ser feita com substâncias químicas, colocando-se na veia da mulher um soro com ocitocina, ou introduzindo um gel de prostaglandina no colo do útero. ("Senhora Prostaglandina, este é o senhor Colo do Útero. Tenho certeza de que vocês vão se entender bem.") Outro método é o manual, em que a membrana que reveste o bebê é perfurada com um pequeno gancho de cabo bem comprido. Esse procedimento desconfortável, mas muito rápido, é chamado amniotomia.

Mas, se vocês preferirem um método mais natural, uma caminhada vigorosa ou uma sessão de natação podem colocar as coisas em marcha. Ouvi dizer que um prato de comida indiana bem picante pode fazer efeito, mas acho que aqui já estamos entrando no território das lendas de matronas e, além disso, será que a gestante quer, realmente, arcar com os efeitos colaterais que essas comidas fazem sobre o intestino? Estimular os mamilos é outro método de eficácia já comprovada. (Os mamilos dela, naturalmente, não os seus.) Não sei se realmente isso ajudou Meredith, mas eu adorei.

Também há quem diga que fazer sexo é uma boa maneira de desencadear o trabalho de parto. Fazer sexo com uma mulher que está no nono mês de gestação é, no mínimo, interessante e provavelmente será mais divertido para ela do que ficar com soro na veia ou tomar injeções.

ALÍVIO DA DOR

Se a dor do parto for insuportável, existem alternativas para aliviá-la. Você pode tomar uma dose de uísque, cheirar gás hilariante ou simplesmente fechar os olhos, tampar os ouvidos e pensar em um lugar bem gostoso. Mas, embora esses métodos possam ajudá-lo a suportar a dor do parto, eles não serão muito úteis para sua mulher, porque ela tem um bebê enorme tentando passar por um pequeno orifício e por isso vai necessitar de alívio mais do que você.

Durante o trabalho de parto, a mulher tem várias alternativas e pode lançar mão de várias técnicas que irão ajudá-la a vencer o processo e atravessar o período mais doloroso. Há muitas mulheres que afirmam ter conseguido controlar a evolução do processo com uma abordagem proativa, muito preparo e exercícios. Muitas dizem que enfrentar a dor (em vez de fingir que ela não vai acontecer) as ajuda a se sentirem determinadas, resistentes e confiantes na sua capacidade de suportar o que virá pela frente, evitando que fiquem na posição de vítimas.

Durante o curso de parto, podem-se praticar várias técnicas de respiração e vocalização (exercícios de som e movimento, como bater nas pernas, cerrar os punhos, cantarolar, balançar o corpo, etc.) que ajudam a controlar a dor. A ioga também pode ser um aliado valioso na preparação dos músculos da mulher para as exigências do parto.

Os cursos de parto também abordam diversas posições porque – como já dissemos – a postura tradicional, com as pernas abertas e os pés nos estribos, pode ser ótima para a TV, mas é terrível para o parto. Em última análise, a mulher deve buscar a posição que lhe traz mais conforto durante o parto, seja ficando de quatro, apoiando-se sobre uma saca de feijão, semiajoelhada ou reclinada dentro da água. A posição de cócoras, com as costas retas, também permite à mulher ter liberdade de movimentos para acomodar as variações de posição do bebê à medida que ele emerge de seu corpo.

A mente é a arma mais poderosa que temos contra a dor, por isso também são úteis os exercícios de visualização. Em vez de pensar apenas na dor, dor, dor, a mulher se concentra no resultado e no propósito da dor, ou seja, o bebê. Ela visualiza a dilatação do colo e o bebê saindo pelo canal de parto ou se concentra em outros pensamentos divertidos, como crucificar você ou socar sua cabeça, já que, afinal de contas, você foi o cretino que a colocou nessa situação.

Você pode ajudar sua mulher a suportar a dor fazendo-lhe uma massagem, aplicando bolsas de água quente, colocando uma música suave e repousante e conversando com ela. Mas, mesmo com todas essas opções, às vezes a dor é demasiada e a mulher precisa de medicamentos para suportá-la. Em geral, é fácil perceber que a coisa chegou a esse ponto porque ela o esgana e grita: "QUERO REMÉDIO PRA DOR – AGORA!"

> VOCÊ PODE AJUDAR SUA MULHER A SUPORTAR A DOR DO PARTO FAZENDO-LHE UMA MASSAGEM, COLOCANDO UMA MÚSICA SUAVE OU CONVERSANDO COM ELA.

Na Austrália, cerca de 90% das mulheres usam algum tipo de analgesia durante o parto. Em áreas rurais, esse uso tende a ser menor, sendo mais elevado nos hospitais particulares de Sidney.

Os recursos usados atualmente pelos hospitais já não incluem doses de uísque ou balas de revólver para morder. A anestesia já evoluiu muito. Uma opção é a TENS (estimulação nervosa elétrica transcutânea), semelhante à estimulação que o seu fisioterapeuta usa quando você estraga suas costas praticando um esporte que você não tem mais idade para praticar. Outra opção é a combinação de óxido nitroso com oxigênio – o chamado gás hilariante –, parecida com a que os dentistas usam. Aparentemente, ele "abafa" a sensação de dor e a mulher tem a impressão de que outra pessoa, em outro local, está passando por aquele sacrifício. Embora seja um método seguro, tanto para a mãe quanto para o bebê (porque o gás é rapidamente expelido do organismo), para muitas mulheres ele não funciona. Outras respondem bem a esse recurso. Se você correr, ainda poderá respirar um pouco também.

A injeção de petidina é um recurso mais potente para alívio da dor. Trata-se de um medicamento opiáceo, que relaxa a mãe e altera sua percepção da dor. Não costuma ser usado nas fases tardias do parto porque pode afetar a respiração do bebê. Algumas mulheres não gostam da petidina porque ela causa sonolência e náuseas e também porque elas perdem a capacidade de sentir e de "vivenciar" totalmente o parto – o que é irônico, já que esse é, exatamente, o motivo pelo qual outras mulheres gostam dessa substância.

A opção preferencial é o bloqueio epidural. Nesse caso, um anestésico local é injetado, por meio de um cateter, na coluna da mulher, o que faz "adormecer" metade do seu corpo. Ela não sente mais nada, mas continua acordada, testemunhando tudo, o que provavelmente se assemelha à experiência de assistir ao parto de outra pessoa (embora o ângulo de visão seja bem peculiar!). Novamente, há mulheres que não gostam da epidural exatamente por isso. Ela também restringe os movimentos e a capacidade de a mulher fazer força, e isso pode prolongar o trabalho de parto.

É importante que você conheça os prós e contras do uso de analgésicos e discuta as opções com o médico antes do trabalho de parto.

PARTO PÉLVICO

A maioria dos bebês nasce de cabeça. Eles fazem isso para poder ver para onde estão indo.

Mas não fique assustado se parecer que o seu bebê tem uma rachadura no meio do rosto, onde não há olhos nem boca. Provavelmente, ele está nascendo em posição pélvica – significa que ele não tem qualquer senso de direção e resolveu sair de ré. O parto pélvico pode transcorrer normalmente, mas, se surgirem dificuldades, talvez seja necessária uma episiotomia ou uma cesariana.

EPISIOTOMIA

É o procedimento no qual o médico corta, deliberadamente, a abertura da vagina da sua mulher, para que ela fique mais larga e facilite a saída do bebê. A ideia é fazer uma incisão pequena e bem calculada para evitar uma ruptura maior e não controlada.

Exatamente, ruptura, rasgão. Estou falando de pele e músculos rasgados. Se acontecer uma ruptura, um rasgão ou um corte (a cabeça da gente fica girando, não é mesmo? Mais uma razão para eu gostar de ser homem), o médico dará pontos para ajudar a cicatrização. E, quando eu falo *pontos*, não estou falando de uns pontinhos simples, do tipo que se faz no dedo cortado por uma folha de papel. Estou falando de pontos *pontos*. Grandes pontos, muitos pontos. Meredith tem uma amiga que levou 52 pontos. Isso mesmo. Pode ler a frase de novo – ainda vai estar lá: CINQUENTA E DOIS. Um amigo meu quase teve a perna amputada em um acidente de esqui e não precisou de 52 pontos.

CESARIANA

É a cirurgia feita para retirar o bebê. Antigamente, era preciso um corte com bisturi que ia da garganta até o joelho da mulher, mas, com o avanço da tecnologia médica, a cesariana moderna só exige um pequeno corte horizontal, bem na linha do biquíni. A incisão pode parecer pequena, mas como é necessário cortar os músculos da parede do abdome, a mulher não pode fazer muito esforço por várias semanas depois da cirurgia. Na verdade, a recuperação total de uma cesariana leva quase um ano.

Esse tipo de parto geralmente ocorre quando há complicações com o bebê, como o fato de estar em posição estranha dentro do útero, ou quando a mãe não tem uma pelve de tamanho suficiente para deixar passar o bebê, ou quando está grávida de gêmeos. Quase sempre, a decisão de realizar uma cesariana é tomada muito antes de a mulher chegar ao hospital. (Veja, por exemplo, o caso de Kristina House, a mulher americana que figura no *Livro Guinness de Recordes* por ter dado à luz onze filhos, por cesariana!)

> A CRESCENTE POPULARIDADE DA CESARIANA PREOCUPA MUITOS ESPECIALISTAS NO ASSUNTO.

Às vezes, a cirurgia precisa ser feita em caráter de emergência. O médico, então, grita: "Vamos para a cesárea, JÁ!" Todo mundo começa a correr na sala de parto, gritando EMERGÊNCIA! e o médico vai apontar para você e dizer: "Tirem-no daqui." Três gorilas da segurança do hospital vão arrastá-lo para fora, enquanto você grita o nome de sua mulher e um coro de vozes e violinos ecoa no sistema de som do hospital.

Bem, isso é o que acontece na TV.

Algumas décadas atrás, a Austrália tinha um índice de partos por cesariana de apenas 5%, bem abaixo da estimativa da Organização Mundial da Saúde, que era de 15% para qualquer tipo de população. Entretanto, esse índice cresceu para os atuais 20% e é o dobro quando se trata de mães de idade mais avançada. O crescimento foi atribuído a fatores como o recente aumento dos casos de processo judicial por erro médico (o que levou os médicos a se tornarem mais intervencionistas) e a divulgação do parto por cesariana eletiva pelas mães famosas. Algumas mulheres também acham que essa é uma maneira de evitar a dor do parto e ver logo o bebê, outras preferem essa opção por preocupação com os danos ao seu períneo.

A crescente popularidade da cesariana preocupa muitos especialistas no assunto. Eles consideram que essa preferência é uma negação do fato de que o corpo da mulher foi projetado para o parto normal: um processo natural, e não algo estranho, imposto à mulher, como uma doença que se deva evitar. Preciso dizer que é fácil, para mim, escrever essas palavras – sou homem e não tenho que passar por tudo aquilo.

Minha mãe teve uma gestação complicada e eu nasci por cesariana. Por isso eu tenho essa cabeça grande e nunca consigo encontrar um chapéu que me sirva.

EXTRATORES

Às vezes, no meio do parto, o bebê fica com medo e resolve não sair. Ou então, como um explorador que entrou em uma caverna e comeu demais lá dentro, ele fica entalado entre as paredes claustrofóbicas do canal de parto.

Para ajudá-lo a sair, podem-se usar dois tipos de extratores:
- *fórceps* – é uma espécie de tenaz usada para segurar a cabeça e puxar para fora (o bebê, naturalmente, não só a cabeça); o fórceps

pode ser usado quando o bebê fica preso no canal ou quando a força feita pela mãe é ineficaz, seja por exaustão ou pelo uso de anestésicos;
- *extrator a vácuo* – é um equipamento usado em alguns hospitais e que se liga firmemente ao crânio do bebê; imagine um aspirador de pó com um desentupidor de pia na ponta. Acho que você ficará feliz em saber que ele é projetado especificamente para o parto e não há risco de o bebê ser sugado para dentro do aparelho.

As duas opções podem deixar marcas e equimoses na cabeça do bebê, mas não se assuste porque elas desaparecem.

INCUBADORA OU BERÇO AQUECIDO

A maioria dos bebês tem um "parto normal" e se adapta muito rapidamente ao mundo exterior. No entanto, alguns podem ter complicações e precisar de monitoramento rigoroso. Esse pode ser o caso dos bebês prematuros, com baixo peso ao nascimento, bebês com icterícia grave, dificuldades respiratórias e alguns bebês nascidos de cesariana.

Se o seu bebê se enquadra em alguma dessas categorias, talvez ele precise ficar em um berço fechado, ou incubadora, que fica conectado a uma série de aparelhos que fazem "bip" e "ding". Essas máquinas ajudam a monitorar o funcionamento do organismo do bebê, inclusive a temperatura, respiração e possivelmente a alimentação. Muitos pais se sentem intimidados quando veem todos esses tubos, botões e as luzes que piscam. Podem também ficar frustrados por não poderem se aproximar do bebê, em razão da cobertura de acrílico da incubadora. Mas é possível tocar o bebê através de janelas onde há luvas embutidas e vocês também poderão ficar junto dele e conversar com ele. Muitas vezes, também é possível alimentá-lo normalmente.

Faça perguntas à equipe médica sobre seu bebê e a incubadora. Os profissionais que trabalham nos berçários de cuidados intensivos estão habituados ao contato com pais ansiosos e poderão ajudá-los a se sentirem mais confortáveis com a situação. De qualquer modo, lembre-se de que seu bebê não ficará na incubadora para sempre.

NOMES

É uma verdade universalmente aceita que a maior causa isolada de conflitos conjugais no mundo ocidental é a escolha do nome do filho que vai chegar. De fato, é bem difícil encontrar um nome de que você goste. Encontrar um nome de que ambos, *você e sua mulher*, gostem é quase impossível. O processo de busca entre os milhares de "nomes de bebês" em livros e páginas de internet é muito demorado, por isso vocês devem escolher nomes de meninos e meninas bem antes da data prevista para o nascimento. Assim, vocês terão bastante tempo para brigar.

Alguns pais não pensam muito nos nomes que escolhem para os filhos. Alguns até escolhem tirando na sorte. O problema, na verdade, é que o nome ficará com seu filho por toda a vida dele e pode causar aborrecimentos quando ele estiver na escola, porque todos nós sabemos *como as crianças podem ser cruéis.*

Portanto, aí vão algumas dicas. NÃO ESCOLHA nomes das seguintes categorias:

- *Nomes muito especiais, que pertençam a pessoas famosíssimas:* Frodo, Elvis, Baby do Brasil, Dinho, Madonna, Tarzan, Hamlet, Cher, Voldemort, Bono, Sting, Beto Jamaica, Papai Noel, Indiana, Chacrinha, Fiuk, Hebe, Oprah, Darth.
- *Personagens maus da história:* Idi Amin, Judas, Adolf, Benito, Lúcifer, Átila, Imelda, Gêngis, Lucrécia, Osama.
- *Qualquer nome estrangeiro com grafia duvidosa:* Maicon e todas as suas variantes (Maikon, Maicon Jéquisson, Maikon Douglas, Maique, etc.), Jhonathã, Paôla, Uóxiton, Uésley, Uélinton, Deivide, Jiácomo, Maquissuél, Ruã, Leidi Dai ou Leidi Daiana, Tór, Jeiny.

- *Nomes idiotas, de coisas inanimadas, neo-hippie:* Luar, Primavera, Preta, Íris, Rio, Sol da Manhã, Flor.
- *Nomes mesclados:* Maricreuza, Edicleber, Rodnilson, Sonicleide, Edilberto, Vandervaldo, Francenildo, Gersilei, Joseílton, Ivoneide, Ivonaldo, Solemar, Ivanilson.
- *Nomes que soam como loiras peitudas:* Sheila, Suellen, Gretchen, Erotildes, Valquíria, Natasha, Sharon.
- *Nomes de bibliotecários:* Igor, Ulisses, Itamar, Pitágoras, Hugo, Sócrates, Vitório.
- *Nomes que impliquem ambiguidade sexual:* Valderez, Sasha (no original russo é um nome masculino), Lucimar, Darci.
- *Nomes de ídolos do esporte:* Pelé, Maguila, Maradona, Maria Sharapova, Zinedine Zidane, Guga, Biro-biro, Hortência, Puskas, Yelena Isinbayeva, Tostão, Vênus, Magic Johnson ou Magic Paula.
- *Nomes para gêmeos:* Tom e Jerry; Chitãozinho e Xororó; Jekyll e Hyde; Ênio e Beto; Mickey e Minnie; Sandy e Junior; Pedro e Bino; Neymar e Ganso; Bruno e Marrone; Sodoma e Gomorra; Milionário e José Rico; Comichão e Coçadinha.

Personagens maus da história...

- *Nomes para trigêmeos, quadrigêmeos e outros mais:* Mônica, Cebolinha e Cascão; Curly, Larry e Moe; Visconde, Emília, Pedrinho e Narizinho; John, Paul, George e Ringo; Reed, Sue, Ben e Johnny; Roberto, Erasmo e Wanderléa; Huguinho, Zezinho e Luizinho; Didi, Dedé, Mussum e Zacarias.
- *Nomes que são inocentes por si, mas geram combinações fatais com certos sobrenomes:* Dolores Fortes, Caio Rolando, Osmar Miteiro, Armando Sena, Paula da Silva, Ana Tomia e, naturalmente, o favorito de todos os tempos, Jacinto Pinto.
- *Nomes em desuso:*
  Para meninos: Adamastor, Basílio, Crispim, Gaudêncio, Isidoro, Timóteo.
  Para meninas: Alzira, Cacilda, Clotilde, Etelvina, Leocádia, Zuleica.
- *Qualquer nome que faça parte da letra de uma música:* Lady Laura, Roxanne, Alejandro, Anna Julia, Luíza, Marvin, Amélia, Sandra Rosa Madalena, Florentina.

Com certeza, se você seguir meus conselhos, seus filhos deverão ter nomes como Mariana, Amanda, Gabriela, Rafael, Mateus ou Gustavo, o que será um tanto monótono. Mas você não vai seguir meus conselhos, porque, como vocês já deve ter percebido, eu sou um completo hipócrita, já que tenho uma filha chamada Georgia (sempre "*on my mind*"- Ray Charles) e outra chamada Matilda (que aparece em... é óbvio, não?). Mas não foi culpa minha, foi Meredith quem escolheu.

Outro problema, que eu vou apenas mencionar rapidamente, é que, mesmo quando vocês concordam a respeito do nome, logo que o bebê nasce vocês olham para ele e percebem que o nome não serve.

"Ele não tem cara de Irving", vocês vão dizer.

E tudo começa outra vez.

CORTAR OU NÃO CORTAR

Algo que você deve realmente discutir antes de o bebê nascer é a circuncisão. Ou seja, seu bebê deve ser circuncidado?

Esse assunto é motivo de muitos conflitos e arruinou muitos dos nossos jantares com amigos, já que os defensores de um ou outro ponto de vista expressam suas opiniões de modo radical, veemente e socialmente inadequado. Bem, eu não apito nada nessa área, mas, se você quiser saber, aí vai minha opinião. Siga-me ou deixe-me.

Se for menina, não. (Dãã!)

Se for menino, não.

Mas eu fui circuncidado, ora, bolas, e isso não me fez mal, ouço você choramingar. *Por que não posso mandar fazer no meu filho?*

Segundo minha mulher, porque a circuncisão é cruel, desnecessária e não tem nenhuma justificativa médica.

Meus motivos são menos nobres.

Quando eu nasci, a circuncisão era rotina e por isso eu fui submetido a essa tortura médica. Pronto, estava "resolvido", era o que se dizia. Eu fiquei feliz com isso porque, doze anos mais tarde, "era igual a todo mundo" quando nós, meninos, ficávamos nus no vestiário da escola. Ter um órgão diferente, nessa situação, significava ser condenado ao inferno.

Agora, estamos no século 21, as tesouras foram aposentadas e os prepúcios por aí afora respiram aliviados. Não é mais uma questão de "resolver o assunto". O Royal Australasian College of Physicians não considera a circuncisão um procedimento rotineiro e, atualmente, só 10% a 20% dos meninos australianos são circuncidados. A questão é que, daqui a doze anos, todos os meninos no vestiário da escola terão prepúcios e o pobre coitado que não tiver vai ser o estranho no ninho, sem falar de todas as piadas sobre os médicos que mandaram fazer maletas com os prepúcios que colecionaram. Não condene seu filho a essa tortura.

Se você realmente fizer questão disso, converse com o médico, mas fique sabendo que, se você pretende convencê-lo a circuncidar seu bebê recém-nascido, é melhor que você tenha um bom argumento.

ESPETAR OU NÃO ESPETAR?

Às vezes, nesses programas de rádio em que os ouvintes podem participar, acontecem discussões acaloradas sobre vacinação, nas quais ambos os lados apresentam fortes argumentos contra e a favor. Esse também é um assunto que você deve discutir com sua mulher e com o médico antes do nascimento do bebê (vacinação, naturalmente, não os programas de rádio).

Preciso ser franco com você. Embora eu tenha um certificado de curso de primeiros socorros, não me considero alguém que saiba alguma coisa de medicina ou da ética da vacinação. Dito isso, acho que as vacinas são uma boa ideia – aliás, essa é também a opinião da maioria dos médicos e da Organização Mundial da Saúde. Não desejo expor minhas filhas ao risco de terem pólio, meningite bacteriana, coqueluche, sarampo, caxumba, tétano, rubéola, difteria, peste bubônica, halitose ou dislexia.

Na Austrália, a maioria das crianças é vacinada. As vacinas são aplicadas periodicamente, quase todas entre 2 e 18 meses de idade, com algumas doses de reforço na adolescência. O importante é que você não se deixe levar por argumentos emocionais, opiniões radicais ou apenas pela influência dos outros, mas examine os dados científicos sobre riscos e benefícios das vacinas. Provavelmente, o melhor a fazer é consultar seu médico ou um pediatra para saber mais a respeito.

QUANDO MENOS SE ESPERA

Está chegando a hora... a data prevista. Todos os preparativos estão completos. A família e os amigos estão informados e em estado de alerta. O quarto do bebê está mobiliado e pronto para entrar em operação. Você foi às aulas. Escolheu nomes. Leu livros. Sabe de cor o que fazer. A mala está pronta, no cantinho, perto da porta da frente. Seu celular está carregado e as teclas foram programadas para discagem instantânea para números importantes (seus pais, sogros, amigos, a pizzaria). As câmeras estão prontas. O carro está com o tanque cheio e estacionado em posição de largada. Tudo o que você precisa agora é que o bebê apareça. Bebês aparecem quando querem.

O problema é que você não pode passar os últimos meses da gravidez seguindo sua mulher como uma sombra, só esperando as contrações aparecerem. Quando Meredith estava nas últimas semanas da gravidez de Rachael, devo admitir que fiquei meio preocupado, alguns poderiam até dizer que eu estava obsessivo-paranoico, com a perspectiva do nascimento. Sempre que eu saía, ficava telefonando a cada duas horas para saber se Meredith havia entrado em trabalho de parto e precisava que eu fosse correndo para casa.

Um dia, na "última semana", lembro-me de que voltei do trabalho e encontrei a casa vazia.

Meredith havia sido levada de ambulância, às pressas, para o hospital, e estava dando à luz naquele exato momento!

Entrei em pânico e liguei para o hospital. "Minha mulher está grávida, ela se chama Meredith e não está em casa. Ela vai ter um bebê, eu acabei de chegar em casa, meu nome é Peter, ela não está aqui e o bebê estava previsto para esta semana. Ela está internada? Foi menino ou menina?"

> BEBÊS NASCEM QUANDO QUEREM, ENTÃO TALVEZ VOCÊ PASSE AS ÚLTIMAS SEMANAS DA GRAVIDEZ SEGUINDO SUA MULHER COMO UMA SOMBRA, ESPERANDO AS CONTRAÇÕES APARECEREM.

Enquanto eu terminava de falar, fui percebendo como eu soava ridículo. A enfermeira se comportou do modo mais profissional possível, para não parecer aborrecida nem ser desagradável, mas eu sabia que ela estava me achando um idiota.

"Ela não está aqui. Deve ter ido fazer compras. Até mais", foi tudo o que ela disse.

E ela estava certa. Meredith estava fazendo compras e eu era um idiota.

Lembre-se de ter seu telefone celular sempre com você ou pelo menos tenha certeza de que alguém sabe onde você está e como o encontrar. Agora, a única coisa a fazer é esperar o bat sinal.

E quando ele vier... será só festa.

CAPÍTULO 4

COMO SOBREVIVER AO HOSPITAL

Quando chegar a hora de ir para o hospital, NÃO use seus melhores sapatos. Eles ficarão destruídos.

UMA BREVE HISTÓRIA DO TRABALHO DE PARTO

Com certeza se pode dizer que o trabalho de parto mudou muito ao longo da história.

No clássico *O Clã do Urso das Cavernas*, Jean M. Auel fala sobre a vida na aurora dos tempos. Quando a mulher grávida sentia a primeira contração, ela era confinada a um canto escuro da caverna, com algumas poucas amigas, para suportar a agonia do parto deitada sobre uma pele de mastodonte. Enquanto isso, o "parceiro" e futuro papai discutia as caçadas do dia com outros homens ao redor do fogo. Os homens sabiam instintivamente que o trabalho de parto era "coisa de mulher" e que não deveriam interromper seu encontro de todas as noites com os demais homens da tribo. Muitas horas depois, quando tudo terminava, o recém-nascido era apresentado ao pai, que grunhia, coçava-se e devolvia a criança à mãe.

Definitivamente, esse não era um homem moderno.

Pois bem, os tempos podem ter mudado, mas é engraçado ver como algumas coisas nunca mudam. A caverna escura e fedorenta foi substituída por um hospital iluminado e fedorento. Os rabiscos de bisões das paredes da caverna foram substituídos pelos tons pastel dos arranjos de flores da sala de espera. Mas até bem pouco tempo o machismo ainda era a atitude predominante entre nós no processo do parto.

Não faz muito tempo, não se via nenhum homem perto de uma sala de parto. É provável que você esteja familiarizado com o estereótipo do parto exibido nos seriados de TV. Eu fui criado segundo essas regras e quase fiquei desapontado ao descobrir que a coisa não funcionava mais assim. Você sabe de que estereótipo eu estou falando: quatro ou cinco futuros papais, os olhos arregalados de tanto tomar café, andando de um lado para outro na sala de espera, ansiosos, aguardando a porta se abrir e uma enfermeira sorrir anunciando: "Senhor Downey, é um/uma menino/menina ou ainda não sei o quê!" Aí eu receberia tapinhas nas costas e distribuiria charutos a todos os meus companheiros de paternidade.

Não um homem moderno e consciente...

Não parece tão diferente assim do tempo das cavernas, não é? Felizmente, o mundo mudou o suficiente para que nós, pais, tenhamos agora um papel bem importante no processo de parto. Já não ficamos só esperando, ao redor do fogo, na porta da caverna. Nem ficamos andando na sala de espera. Agora, temos que participar. Temos que estar lá. É isso, e pronto. Ao vivo e em cores. Som dolby estéreo. O pacote completo. É muita sorte nossa, porque, afinal, estar presente e participar do nascimento de um filho são experiências maravilhosas.

Aterrorizantes, sim. Mas maravilhosas.

Na verdade, atualmente as coisas foram parar no outro extremo e há uma tendência para que não apenas os pais, mas toda a família esteja presente no momento do parto! Há quem diga que muitos casais que têm filhos em maternidades ou optam pelo parto domiciliar gostam que os outros filhos estejam presentes no nascimento do irmãozinho. Pessoalmente, acho que não há nada que possa causar tanto dano psicológico a uma criança, no longo prazo, quanto essa experiência, mas, enfim, cada um com sua opinião. Então, por que não convidar também seus pais, seus irmãos, suas irmãs, seus primos, seus tios, suas tias, seu professor de ginástica, seus vizinhos, colegas de trabalho e seu time de futebol? Vamos lá, faça uma festa! Cada um pode trazer um salgadinho ou um doce!

> SE VOCÊ DECIDIU ASSISTIR AO PARTO, SUA PRESENÇA NA SALA DE CIRURGIA TEM UM OBJETIVO PRIMORDIAL: DAR APOIO À SUA MULHER, CONFORTANDO-A E INCENTIVANDO-A.

Mas lembre-se: você não está lá apenas como espectador. E (de preferência) não está lá para bancar o cinegrafista e ficar filmando tudo em sua câmera digital (ver adiante). Sua presença na sala de parto tem um objetivo primário e fundamental: você está lá para dar apoio a sua mulher. Você está lá para confortá-la, incentivá-la, tranquilizá-la. Para isso, você deve estar totalmente concentrado nas necessidades dela e no trabalho de parto.

DEVO ASSISTIR AO PARTO?

Sim.

MAS COMO SÃO AS COISAS?

Antes de prosseguirmos, quero deixar uma coisa bem clara. É o seguinte: o parto é DOLOROSO. Pode ser uma parte normal e natural da jornada biológica da mulher, mas ainda assim é doloroso. Muito, *muito* doloroso.

Deus não estava brincando quando disse: "Parirás teus filhos com dor." (Aparentemente, existem mulheres – uma minoria, com certeza – que não sentem, realmente, nenhuma dor durante o parto ou sentem apenas um leve desconforto. E há mulheres que até descrevem a sensação como sendo de prazer físico! Eu não conheço nenhuma dessas mulheres.)

Não há nada que um homem possa suportar, ao longo da vida, que se aproxime da agonia excruciante desse processo em que o bebê sai de dentro da barriga da mãe e é expelido para o mundo. Com certeza, existem os cálculos renais e acidentes de fábrica que envolvem máquinas pesadas e testículos, mas nada que faça parte, quase inevitavelmente, da rotina biológica do homem.

Infelizmente, nós nos tornamos vítimas de representações ridiculamente enganosas do trabalho de parto mostradas pela televisão. Elas tentam nos convencer de que o processo envolve pouco esforço a mais que uma tarde na academia fazendo aeróbica. A pobre mulher respira ofegante algumas vezes, sopra o ar com os dentes cerrados e, finalmente, em um esforço hercúleo, dá à luz o bebê, emitindo um suspiro final de alívio. E, depois de tudo isso, ela só está um pouquinho suada.

Isso é bobagem. Besteira total e completa.

O parto é, de fato, tentar fazer passar um elefante pelo buraco de uma agulha.

O elefante é grande demais.

A agulha é pequena demais.

A agulha vai sentir muita dor.

Há algum tempo, um amigo me emprestou um DVD – um daqueles vídeos motivacionais de gurus americanos que ganham a vida fazendo isso. No vídeo, há uma parte fenomenal em que o tal guru diz, com um sotaque arrastado do meio oeste, fazendo ares afetados e pomposos: "No nascimento do nosso primeiro filho, minha adorada esposa e eu tivemos um parto praticamente indolor."

Liguei o vídeo e chamei Meredith para ver. Ela não achou graça.

Tenho certeza de que foi indolor... *para ele*. Embora eu não seja um expoente da medicina, já tenho a experiência de três partos e acho que posso dizer, com grau razoável de certeza, que o parto, de fato, não é muito doloroso, fisicamente falando, para nós, homens. Ou seja, a menos que você seja um índio caiapó. Nessa tribo, uma corda é amarrada no testículo do homem e sua parceira puxa essa corda cada vez que sente uma contração, para que o *homem* sinta o que ela está passando. Eu prefiro declinar, obrigado.

A história que eu vou contar agora talvez o ajude a entender um pouco melhor o que é a dor do parto. Logo que eu soube que Meredith e eu seríamos pais, fiquei curioso e ansioso acerca do processo como um todo, inclusive o parto. Mas, com exceção dos livros, eu não tinha outra fonte de informação. Então, um dia, em uma festa, encontramos uma amiga que havia acabado de ter um bebê.

Que oportunidade perfeita! Sem nenhuma inibição e, olhando em retrospecto, do modo mais idiota possível, comecei a conversa logo perguntando a ela se o parto era algo "doloroso". O olhar que ela me lançou revelou que ela sabia, com toda a clareza, que eu era o sujeito mais estúpido da face da Terra. Com uma expressão gélida, ela me encarou e disse:

"Imagine que você está segurando um guarda-chuva..."

"Ok", disse eu, "estou imaginando."

"Agora", ela disse e fez uma pausa para obter um efeito mais dramático, "introduza o guarda-chuva em seu pênis."

Nesse momento, eu cruzei involuntariamente as pernas e meus olhos se encheram de água. Tentei desviar o olhar, mas ela percebeu que suas palavras tiveram o efeito de uma facada. Ela continuou me encarando e prosseguiu, sem piedade:

"Agora, abra o guarda-chuva", murmurou.

Eu ouvia sirenes dentro da minha cabeça. Levantei-me, tentando em vão aliviar a sensação de aperto na minha virilha. Mas não consegui escapar. Ela me agarrou pelo braço e falou no meu ouvido, marcando bem as palavras: "Agora, puxe o guarda-chuva para fora. Puxe... com força."

Ela se regozijava ao ver que eu estava paralisado – suas palavras tiveram o efeito desejado.

"Isso é o parto", disse ela com um sorriso sarcástico, enquanto eu me afastava rapidamente.

LUZES... CÂMERA... AÇÃO!

Há alguns anos, passei um tempo lecionando inglês no Japão. Quando tive um dia de folga, fiz o que qualquer turista que se preze faria: peguei minha mochila e caí na estrada em busca de aventura e lugares interessantes para se visitar.

Acabei chegando ao Templo Todaiji para ver a maior estátua de bronze do mundo – o Daibutsu, de 450 toneladas e 1.200 anos de idade. Eu me lembro bem desse dia, não porque eu estivesse diante de algo de um tamanho de tirar o fôlego, nem pela obra de arte que estava diante de mim, nem pela imponência histórica do lugar. Lembro-me bem daquele dia por causa dos ônibus que despejaram turistas americanos no exato momento em que eu chegava. Obviamente, eles haviam sido orientados a respeito das "Regras de etiqueta para americanos no exterior" e haviam assistido a todas as aulas de "Como ser um típico turista texano em terras estrangeiras". Falavam gritando. Usavam roupas chamativas. Usavam enormes chapéus de caubói. A atitude deles era de superioridade ("O Buda Gigante de Dallas tem duas vezes esse tamanho, Cyndi!"). Sobretudo, eles tinham câmeras.

Muitas câmeras.

Muitas, muitas, muitas câmeras.

Super 8... VHS... 35 mm... Automática... Descartável... SLR... Panorâmica... Caixotinho... O que você quiser eles tinham.

Pois bem, a maioria das pessoas quando vai a uma atração turística dá uma voltinha, olha tudo e depois tira algumas fotos para guardar de recordação. Não eles. Eles clicavam, clicavam, clicavam e haviam começado a clicar muito antes de se aproximarem do local. Em poucos segundos, havia várias fileiras de tripés armados e eles já estavam fazendo pose e sorrindo para os disparadores automáticos.

A ironia é que alguns ficaram tão ocupados tirando fotos que não se deram ao trabalho de olhar para a estátua. Não tiveram tempo de usufruir da experiência de estarem lá, porque só estavam preocupados em levar uma recordação para olhar depois. Lembro-me, especialmente, de um cavalheiro que mascava fumo e que, obviamente, tinha uma queda por doces dizer à esposa – que estava apreciando o monumento – "Vamos, Martha, tire uma foto e depois nós a olhamos."

Eu juro que é verdade.

O motivo pelo qual eu decidi contar essa historinha entediante é que eu queria criar um clima para o nosso próximo assunto.

O nascimento de seu primeiro filho é uma ocasião muito marcante e, por isso, talvez você queira documentá-la para a posteridade. É justo. Mas até onde você levará esse negócio de fotografar? Quantas fotos você pretende tirar? Quanto tempo você vai ficar filmando? E, mais importante, *o que* você vai filmar ou fotografar?

Há quatro regras básicas para quem quer filmar o parto.

REGRA Nº 1: COMBINE COM SUA MULHER ANTECIPADAMENTE

Talvez esta seja a regra mais importante de todas. Durante o parto, sua mulher não estará em condições de comandar a sessão fotográfica. Por isso, converse com ela antes sobre o que ela quer ou sobre o que ela permite que você fotografe. Pelo que eu sei, a maioria das pessoas só quer ter algumas fotos bonitas, tiradas depois que o bebê já está limpinho e vestido. Sei de mulheres que não querem nenhuma câmera a menos de 50 metros da sala de parto. Outras querem que todos os detalhes escabrosos sejam registrados, em *close*, em fotos e filmes.

Se esse for o seu caso, e se você tirar 36 fotos da sua mulher com as pernas abertas e o bebê saindo, em hipótese alguma leve essas fotos para revelar em uma dessas óticas que fazem "revelação em uma hora", no meio de um shopping bem movimentado, em que suas fotos vão sendo cuspidas pela máquina na vitrine da loja, onde todo mundo pode ver. De repente, você verá uma pequena multidão se formar em frente à loja e lá vão estar o chefe da sua mulher, sua ex-namorada e o pastor da igreja do bairro.

Se você usar seu celular para capturar essas imagens em jpeg ou mpeg, não caia na tentação de enviá-las imediatamente para a família e os amigos, como se estivesse fazendo uma cobertura ao vivo do evento. Embora você possa estar muito emocionado com a experiência, seus colegas de trabalho provavelmente não vão gostar de receber, bem na hora do almoço, um filme que mostre a saída da placenta.

REGRA Nº 2: COMBINE COM O OBSTETRA ANTECIPADAMENTE

Por uma questão de cortesia, você deve abordar o assunto de fotografar e filmar o parto com o/a obstetra e consultá-lo/a sobre que postura ele/ela adota em diversas situações potenciais. É provável que o/a obstetra não faça objeção ao fato de você fotografar o parto. Entretanto, você não deve pressupor que os médicos ou o hospital permitam filmagens à vontade. Nos Estados Unidos e em alguns hospitais da Austrália, o risco de ações judiciais levou à adoção de medidas de restrição ou até a proibição de filmagem. Essas medidas se aplicam sobretudo aos casos de parto por cesariana (programada ou de emergência) ou quando surgem complicações durante o parto normal.

O/a obstetra pode se reservar o direito de pedir que você pare de filmar. No caso da cesariana, há também questões relativas à esterilidade da sala cirúrgica e à necessidade de permissão de toda a equipe envolvida no procedimento. Também há questões de ordem prática a serem consideradas, como a possibilidade de você atrapalhar o movimento dos profissionais na sala (ver regra nº 4) ou os problemas óbvios que se criam quando você, por exemplo, desmaia ao ver a barriga da sua mulher ser cortada com um bisturi.

REGRA Nº 3: LEMBRE-SE DO SEU PAPEL

Lembre-se de que você deve ficar ao lado da sua mulher durante o parto, para dar apoio a ela. Não fique passeando com a câmera enquanto sua mulher está precisando de palavras de conforto ou simplesmente da sua companhia e atenção. Você não será muito útil a ninguém se ficar em um canto da sala, procurando fotos ruins do último fim de semana para apagar e abrir espaço no cartão de memória da máquina fotográfica.

Além disso, você não deve ficar incomodando sua mulher com sugestões absurdas.

Por exemplo, nunca pense em dizer coisas do tipo:

"Ei, essa ficou ótima – pode fazer essa cara de novo?";

"Dá para levantar um pouquinho mais as pernas?";

"Não faça força agora, preciso trocar o filme!";

"Ei, doutor, dá para sair da frente um pouquinho?"

Isso nos leva à:

REGRA Nº 4: NÃO ATRAPALHE

Se você quer tirar um monte de fotos, o uso do flash pode ser um problema. Os médicos, enfermeiros e, especialmente, sua mulher (e depois o bebê) não podem ser cegados por repetidas explosões de luz. Portanto, é melhor você usar um filme sensível ou programar a câmera digital para fotografar em baixa luminosidade, de modo que você não atrapalhe o trabalho dos outros.

É preciso registrar tudo para a posteridade...

Se você quiser filmar o parto, tudo bem, mas fique fora do caminho. A equipe médica talvez não se importe se você deixar a câmera quietinha no canto da sala, filmando, mas certamente irá se opor se você trouxer um equipamento completo com refletores, console de operação, um operador de câmera e um diretor de filmagem.

HORA H

O telefone toca.

Chegou a hora.

O último grão de areia passou pela ampulheta de nove meses e chegou a hora de o bebê vir ao mundo. O alerta pode ser a chamada "perda do sinal", que consiste na saída explosiva de uma rolha de muco e sangue que vinha protegendo o orifício do útero da sua mulher pelos nove meses anteriores. Outro aviso é a "ruptura da bolsa de água". Isso acontece quando a membrana que envolve o bebê se rompe e todo o líquido amniótico vaza para fora, como se fosse aquela cena da represa no filme *Terremoto*. (É bem divertido se acontece no restaurante!) Ou então a hora H pode ser indicada pelo início das *contrações*, um eufemismo para a dor causada pelo esforço dos músculos do útero para alargar a passagem chamada colo uterino e preparar um canal para a saída do bebê. É o começo do primeiro estágio do trabalho de parto.

Por alguma razão, eu sempre achei que as contrações da minha mulher começariam às 2 horas da madrugada, vários dias antes da data prevista. Eu me imaginava caçando as chaves do carro, de pijama e chinelo, e dirigindo a toda velocidade até

> A RUPTURA DA BOLSA OU O INÍCIO DAS CONTRAÇÕES PODEM SER SINAIS DE QUE CHEGOU A HORA DE O BEBÊ NASCER.

o hospital, no ar gelado da noite. As contrações podem surgir em qualquer momento e, quando elas surgem, isso não significa que o bebê vai nascer dentro de alguns minutos. Para algumas pessoas, o trabalho de parto pode ser um processo muito longo, exaustivo e até frustrante.

Essa frustração é ainda maior quando sua mulher tem o chamado "alarme falso". As contrações começam, todos ficam animados, vocês vão para o hospital, mas, depois de algumas horas, fica claro que nada vai ocorrer e os médicos mandam vocês de volta para casa. Isso é uma espécie de "pegadinha" que o organismo faz com sua mulher. Essas contrações prematuras, chamadas *contrações de Braxton Hicks*, significam que o útero está praticando para, mais tarde, poder se contrair fortemente durante o trabalho de parto. (Não sei o que Braxton Hicks fez, mas, se ele teve seu nome ligado a esse alarme falso, deve ter sido um cretino!)

Também é frustrante quando o bebê passa da hora de nascer e nada acontece. Na verdade, as estatísticas mostram que a maioria das mães na primeira gestação tem o bebê alguns dias depois da data prevista. É difícil não ficar com o subconsciente ligado na data prevista do parto e você também pode ficar ansioso se só tiver alguns dias de folga no trabalho. Chega o grande dia, e nada. Mais um dia se passa, e nada. E mais um. E mais outro. E mais outro dia depois desse. Finalmente, chega o momento, mas esse também passa, com toda sem-cerimônia. A tensão e a expectativa aumentam, até que seus nervos ficam em frangalhos. É um verdadeiro filme de suspense. Você só pode contrair todos os seus músculos e suportar. E esperar.

Tivemos muita sorte com nossas filhas. Na primeira, Rachael, eu acordei em uma sexta-feira pela manhã e me aprontei para ir trabalhar depois de uma ótima noite de sono, quando minha mulher me olhou e disse: "OK, acho que está na hora." Era um lindo dia de verão. O sol brilhava na janela, passarinhos cantavam e nós tomamos café da manhã juntos. Rachael nasceu pouco depois das 11 horas da manhã. Com duas semanas de atraso.

Quando foi a vez da nossa segunda filha, estávamos tirando a mesa depois de um jantar bem agradável quando Meredith olhou para mim e disse, novamente: "OK, acho que está na hora." Georgia nasceu perto da meia-noite, com um dia de atraso.

Na terceira vez, eu estava seguro de que tudo aconteceria no dia exato – só para confundir o obstetra. Mas acabamos trilhando o mesmo caminho – um, dois, três dias de atraso. No quarto dia, no meio de *Os Simpsons*, Meredith falou, com toda a certeza: "Está na hora." Matilda nasceu algumas horas depois – por poucos minutos, não nasceu em 1º de abril... Ufa!

A questão é: "ele" pode chegar a qualquer hora, em qualquer lugar. Pode ser à meia-noite ou ao meio-dia. Você pode estar em sua cama, ou no trem, ou em um jantar, ou cortando grama. (Pode ser agora mesmo.) Mas, quando chega a hora, não adianta dizer: "Dá para esperar um minutinho?" Você precisa estar pronto porque a bomba já vai explodir.

Há algo importante que você deve lembrar nesse momento. Como diz o *Guia do Mochileiro das Galáxias*, NÃO ENTRE EM PÂNICO. Se a situação não for de emergência (ou seja, a cabeça do bebê já saindo), fique calmo e controlado. Não comece a correr gritando: "O que vamos fazer?! O que vamos fazer?!" Não saia do chuveiro enrolado na toalha e vá para o carro com xampu nos olhos.

É nesse momento que você percebe como foi bom ter feito um planejamento. Antes de sair para o hospital que vocês escolheram, ligue para lá. Provavelmente, eles farão algumas perguntas sobre a duração das contrações e o intervalo entre elas e dirão a vocês quando se dirigir ao hospital.

> ACONTEÇA O QUE ACONTECER, LEMBRE-SE: NÃO ENTRE EM PÂNICO!

A maioria das pessoas chega ao hospital a tempo, mas algumas, não. Elas podem ficar presas no trânsito, o carro pode quebrar ou o parto pode ocorrer antes do previsto. Se a situação for de emergência, novamente: NÃO ENTRE EM PÂNICO. Lembre-se de que o nascimento de um bebê é algo *normal e natural*. Acontece desde que Eva disse para Adão "OK, está na hora". Em todo o mundo, nascem trezentos bebês por minuto, a maioria sem o luxo de autoestradas e hospitais, por isso o que está acontecendo com vocês não é nada de novo. O corpo da mulher é feito para o parto. O processo é totalmente automatizado.

Apesar disso, há algumas regras básicas a serem seguidas, caso você não consiga chegar ao hospital. (Estatisticamente, isso é muito improvável, mas acontece de tempos em tempos.) Se você estiver dirigindo, estacione em um local seguro. Não pare no meio de um cruzamento ou na porta de um colégio na hora do recreio. Se vocês estiverem em um táxi, o motorista deve parar e desligar o taxímetro. Se possível, peça a alguém para chamar uma ambulância.

Em seguida, faça sua parte, apoiando sua mulher. Não se desespere. Sua mulher vai precisar de você mais do que nunca e, se você entrar em pânico, isso não irá facilitar as coisas para ela. Ajude-a a encontrar a melhor posição para o parto, em seguida fique atento à saída do bebê para sustentá-lo quando ele vier. Retire a saliva e as secreções da boca do bebê e envolva-o com alguma roupa ou toalha para mantê-lo aquecido. Não puxe nem corte o cordão umbilical: a placenta sairá sozinha. Agora, pronto, acabou, vá direto para o hospital.

A próxima coisa a fazer é anunciar seu carro nos classificados, por 20% menos que o valor de mercado.

Um último conselho: quando você sair de casa para ir ao hospital, NÃO use seus melhores sapatos. Eles ficarão destruídos.

ESTÁGIO 1: ANTES DO PARTO

O nascimento é algo que ainda conserva certa mística em nossa sociedade. Algumas pessoas gostaram tanto de nascer que até procuram a "terapia do renascimento" para vivenciar todo o processo novamente. Alguns países têm até um dia especial em que se comemora todo esse esforço – é o "Dia do Trabalho" (de parto!).

Como se vê, meu conhecimento sobre o assunto é extenso, mas não muito técnico. Portanto, ao ler a próxima seção, lembre-se: eu sou doutor, mas meu doutorado foi em Educação, não em Medicina. Eu sou um daqueles sujeitos que você vê nos seriados de TV que, num voo sobre o Pacífico, ouve a comissária de bordo perguntar "Tem um doutor a bordo?", levanta a mão distraído e de repente se vê sendo levado ao fundo do avião para ajudar no parto de um bebê, enquanto tenta explicar o engano, mas ninguém o escuta porque a mulher está gritando muito. Só depois que ele faz uma cesariana com nada mais que talheres de plástico e um kit de costura é que a confusão se esclarece em meio a lágrimas de alegria. Em suma, não acredite em nada do que eu digo. Qualquer discussão sobre o parto passa, naturalmente, por uma generalização, porque cada gravidez é única e cada parto é único. Por exemplo, veja os casos que encontrei no *Livro das Listas 2*, de D. Wallechinsky e cols.:

- Górgias de Épiro nasceu dentro do caixão, durante o funeral de sua mãe.
- Em 1970, Grete Bardaum deu à luz gêmeos – um negro e um branco.

- Em 1955, os gêmeos Schee nasceram com quarenta e oito horas de intervalo, um do outro.
- Em 1875, uma jovem de 17 anos engravidou após receber um tiro de uma bala perdida da Batalha de Raymond, que se alojou na parede do seu útero. Ela não poderia saber que a bala havia arrancado parte do testículo esquerdo de um soldado. Nove meses depois, ela deu à luz um bebê de 3,5 kg que teve de ser operado para remoção da bala. Tempos depois, a menina e o soldado se casaram.

Acredite se quiser.

Seria impossível abordar todas as situações que podem ocorrer no momento do parto, mas posso lhe mostrar um panorama geral.

Muito bem. Você dirigiu como louco até o hospital e entrou "cantando pneu" no estacionamento, acordando todos os pacientes da enfermaria que estavam começando a pegar no sono. De repente, você percebe que esqueceu sua mulher em casa.

Volte e vá buscá-la.

Dirija de volta para a maternidade. Agarre a primeira pessoa que passar de branco e diga quem você é e que vocês vieram para ter o bebê. (Certifique-se de que a roupa branca é de médico, não de alguém da limpeza ou do refeitório.) Você já deve ter cuidado dos formulários e da burocracia algumas semanas antes e deve ter telefonado para o hospital antes de ir, portanto eles já vão estar esperando-os. Em breve, vocês serão encaminhados ao quarto ou à enfermaria de pré-parto, onde começa a parte mais difícil da história – a espera.

Sua mulher pode ter um trabalho de parto rápido: vocês chegam ao hospital – o bebê nasce – fim.

Ou sua mulher pode ter um longo trabalho de parto: vocês chegam ao hospital – vocês passam por horas e horas de espera, ficam cansados, impacientes e com fome – o bebê nasce – fim.

Na prática, o primeiro estágio do trabalho de parto pode durar de duas a dez horas. Durante esse período, as contrações aumentam de intensidade. Ficam mais fortes, mais frequentes e demoram mais para passar. Quando chega a hora de o bebê nascer, o útero já se transformou no maior e mais forte músculo do corpo da sua mulher, por isso você pode imaginar que pressão ela sente à medida que as contrações desse músculo aumentam.

Enquanto isso acontece, espera-se que o cérvice, ou colo do útero – o canal de passagem do bebê para fora do útero –, fique mais largo, ou seja, vá se dilatando até permitir que o bebê passe por ele. Os médicos chamam esse processo de "apagamento" do colo do útero, o que me parece um termo realmente misterioso. Mas isso é outra história.

Normalmente, o orifício do colo do útero tem 2 milímetros de diâmetro, mas ele precisa se abrir até ficar com 10 centímetros de largura e as paredes ficarem bem finas, para permitir a passagem da cabeça do bebê. Se meus parcos conhecimentos de matemática não me enganam, significa uma expansão de mais de uns 5 mil por cento. Para melhor avaliar essa proeza muscular, considere o orifício do seu pênis – ele também tem cerca de 2 milímetros. Aterrorizante, não?

De tempos em tempos, virá uma enfermeira examinar sua mulher e fazer o chamado "toque" ginecológico, para saber o grau de dilatação do colo e verificar se o bebê está avançando. No primeiro exame, provavelmente, ela dirá a sua mulher: "2 centímetros." Isso significa: "Nesse momento, com muita sorte, você poderia parir uma avelã."

Quinze minutos mais tarde, quando sua mulher já tiver sentido tanta dor a ponto de pensar que passaria um ônibus por seu colo do útero, a enfermeira fará outro toque e dirá: "3 centímetros." Nesse momento, ela irá telefonar para o obstetra e dizer a ele quantas rodadas de golfe ainda pode jogar até precisar vir para o hospital.

Às vezes, nesse estágio, é colocado na veia de sua mulher, um soro que pode conter apenas glicose, para mantê-la hidratada e com nível normal de açúcar no sangue, ou também um hormônio chamado ocitocina, que ajuda a dilatar o colo do útero. Quando Georgia nasceu, eu pedi à enfermeira um soro para mim, com uísque dentro, mas ela não achou muita graça. Talvez ela estivesse cansada do plantão.

Pois bem. O trabalho de parto pode ser longo, doloroso, cansativo e frustrante para a mãe. Muitas vezes, nessa fase, ela começa a se perguntar por que foi querer um bebê, começa a desejar ir para casa e esquecer tudo aquilo. Quando você vir sua mulher tendo contrações, concordará que, no "palitinho", foi o sexo feminino que ficou com o palito quebrado no tocante ao processo de dar à luz. Entretanto, você também deve se preparar para os efeitos que o trabalho de parto terá sobre *você*. Com certeza, não será você quem estará tendo contrações, mas você também não deve ficar lá quietinho, na sombra, como se nada estivesse acontecendo.

> O PARTO PODE SER UMA EXPERIÊNCIA EXTENUANTE TAMBÉM PARA O PAI.

O parto pode ser uma experiência extenuante para o pai. Manter-se concentrado em sua mulher por horas a fio pode exigir bastante de sua mente. Também pode ser um processo fisicamente muito exigente. Você pode ter que ficar em pé por muitas horas, pode sentir dor nas costas, ficar sem comer ou beber nada por um tempo que lhe parecerá interminável. O processo pode ser particularmente difícil quando dura toda a noite e nenhum de vocês consegue dormir e ficam acordados por mais de vinte e quatro horas.

Além disso, se for sua primeira experiência com o nascimento de um filho, talvez você também fique bem *assustado*. Você vai se ver nesse lugar estranho, esterilizado e cheio de máquinas que parecem ter saído de um filme de ficção sobre submarinos. A equipe médica vai entrar e sair e falar de coisas que você não vai entender. Você pode ficar inseguro, sem saber se tudo está caminhando como deveria para sua mulher e, além de tudo isso, vai estar ansioso para saber se o bebê está bem.

A experiência também pode ser *angustiante*. A mulher que você ama vai estar sofrendo. Ela vai olhar para você com expressões de súplica ou de acusação e, além das massagens e do apoio de que já falamos, há muito pouco que você possa fazer. Não será agradável vê-la passar por tudo isso.

Por outro lado, o aspecto positivo é que a experiência é *excitante*. É fantástico ver seu filho nascer. Pode ser muito emocionante mesmo finalmente ver esse filho gerado por você e perceber: "EU SOU PAI!!!"

À medida que sua mulher entrar no segundo estágio do trabalho de parto – o parto propriamente dito –, você poderá notar que ela está parecendo meio "desligada". Seu rosto assume uma expressão distante e ela começa a se comunicar apenas por monossílabos. Sua respiração muda. Tudo isso ocorre porque o organismo dela começa a produzir endorfinas, substâncias naturais semelhantes ao ópio, que começam a entrar na corrente sanguínea. Depois, ela vai parecer estar drogada. Ela ficará introspectiva, como se estivesse fora da realidade. Enquanto isso, ela estará sentindo dores cada vez mais intensas, à medida que as contrações se tornarem mais fortes e o colo do útero se dilatar.

Ao longo de todo esse processo, lembre-se de que *você está lá para ajudar*. Não divague – concentre-se. Incentive e apoie sua mulher. Segure a mão dela, massageie as costas dela. Cante alguma coisa para ela, fale com ela. Procure tranquilizá-la. Enxugue o suor, acaricie a cabeça dela. Ajude-a se ela quiser caminhar. Procure colocá-la em uma posição confortável. Se ela quiser tomar um banho, lave as costas dela. Deixe que ela se apoie em você. Em suma, faça tudo que ela quiser, se isso a fizer se sentir melhor.

Naturalmente, tudo isso pressupõe que você entende o que ela está dizendo. Mulheres em trabalho de parto usam um jargão secreto, especial, quase sempre incompreensível para o ouvido masculino. Por exemplo, ela poderá apontar para o teto e dizer: "Co... huuu... huuu. Fec... lu... ja...", o que você poderá interpretar como "Corra e venha fechar a janela!".

Mais tarde, você vai descobrir que ela queria uma massagem nas costas e um *fettuccine*.

No parto de Matilda, Meredith erguia o braço lentamente e apontava para as costas, murmurando algo como: "Harump... sheej... carrmooon. Hooo... rufffff."

Eu achei que ela estava dizendo: "Faça uma massagem bem forte nas minhas costas, bem aqui", e foi isso o que eu fiz. Mais tarde, fiquei sabendo que ela estava tentando me dizer: "Faça qualquer coisa, menos tocar aqui nas minhas costas."

Faça o melhor que você puder.

Outra coisa que você pode fazer para ajudar é incentivá-la a usar as técnicas e os exercícios de respiração que vocês praticaram no curso de parto. Respire junto com ela e oriente-a durante as contrações. Mantenha a calma e o autocontrole. Procure exercer um efeito relaxante sobre ela, dizendo coisas positivas, como:

Ótimo... Muito bom... Respire fuuuundo... Você está indo muito bem.

- Está quase acabando.
- Relaxe, relaxe, relaxe.
- Força, força, olhe o bebê.
- Já consigo ver a cabeça do bebê.
- Que tal voltarmos logo para casa?

Evite dizer coisas negativas, como:
- Uau! Quanto sangue!
- Puxa! Não a invejo!
- Ei! Será que está tudo certo?
- Não faça caretas, você fica feia.
- Acho que o bebê não está querendo nascer.
- Não precisa gritar tanto, por favor...
- Você desligou o forno?
- NÃO PRECISA FICAR TÃO TENSA!

Era uma vez... As mulheres tinham obrigação de ficar quietinhas e bem comportadas durante o parto. Mas é injusto pedir isso, se você pensar bem. Tente o seguinte exercício:

- Coloque sua mão sobre uma superfície dura.
- Dê um golpe de martelo sobre a mão, com toda sua força.
- Fique quieto e não faça nenhum ruído.

Aposto que você não conseguirá, a menos que você seja um desses vilões psicopatas do cinema que ficam com a mão sobre uma tocha acesa sem pestanejar só para mostrar que são duros na queda. Com certeza, você não conseguirá. Se alguma vez já aconteceu de você levar uma martelada na mão, provavelmente você gritou, gemeu, suou, xingou, andou para a frente e para trás, deu pulos, etc.

> "RUÍDO" E "AÇÃO" SÃO AS PALAVRAS-CHAVE DO TRABALHO DE PARTO. INCENTIVE SUA MULHER A FAZER O BARULHO E OS MOVIMENTOS QUE QUISER SE ISSO AJUDÁ-LA A SUPORTAR A DOR.

"Ruído e ação" são as palavras-chave do trabalho de parto. Incentive sua mulher a fazer o barulho que quiser e a se mexer como quiser, se isso ajudá-la a suportar melhor a dor. Pode ser que ela queira balançar o corpo para a frente e para trás, bater as mãos nas pernas, gemer, repetir palavras, fazer caretas, respirar fundo e ritmado ou fazer respiração de cachorrinho. A questão é: não fique de longe, tirando fotografias desses estranhos comportamentos. Junte-se a ela e faça o mesmo.

Ao se aproximar o segundo estágio do trabalho de parto, a necessidade de fazer força, como se fosse evacuar, torna-se imperiosa para sua mulher. Nessa fase, tudo parece sair um pouco do controle. Mulheres que habitualmente são muito calmas começam a gritar palavrões e a dizer coisas para o marido pelas quais mais tarde vão se desculpar, como "Odeio você por ter feito isso comigo", "Nunca mais quero ver você", "Você não é o pai" e "Vamos logo ter outro bebê".

Nesse estágio do processo, é comum ver a cabeça de sua mulher girar 360 graus enquanto ela vomita bile verde por toda a sala de parto.

ESTÁGIO 2: O PARTO

É nesse momento que o bebê nasce, de fato. O parto pode durar alguns minutos ou algumas horas.

Vamos parar um pouco, agora, para falar sobre como o bebê se sente a respeito do nascimento. Durante os últimos nove meses, ele esteve flutuando alegremente em um mundinho próprio, que ele aprendeu a chamar de lar. Passava os dias sugando o polegar, sonhando e praticando para seu exame de faixa preta. Provavelmente, ele gostava muito desse lugar e, se pudesse escolher, não sairia de lá até os 18 anos, o que, além do mais, evitaria que ele tivesse de passar pelo sofrimento de ir à escola e pelos momentos difíceis da adolescência.

Subitamente, tudo se transforma... para pior. Aquela piscina quentinha e gostosa se esvazia e o bebê é empurrado, inexoravelmente, para baixo, em direção a um orifício absurdamente pequeno, como se tivesse sido sugado por uma espécie de aspirador de pó vaginal.

Como você pode imaginar, ele não deve estar muito feliz com esse estado de coisas.

Por isso, o obstetra pode decidir manter um rigoroso controle das condições do bebê durante esse processo e instalar um monitor cardíaco fetal. Trata-se de um pequeno eletrodo ou sensor, colado ao couro cabeludo do bebê e à barriga de sua mulher e ligado a um aparelho que ficará emitindo "bips", monitorando as contrações e indicando se o bebê está ou não "em sofrimento". Se sua mulher recebeu uma injeção de anestesia peridural, certamente ela será monitorada dessa forma, porque ela não será capaz de sentir as contrações.

Enquanto isso, a cabeça do bebê já vai estar "coroando", como se diz, ou seja, tentando abrir caminho pelo canal da pelve. O topo da cabeça talvez já esteja visível. Se houver problemas com a proporção entre a cabeça e o canal, poderá ser feito um corte – a episiotomia.

Tchan-tchan-tchan-tchan!

Nesse momento, depois de muito "trabalho" de sua mulher, a cabeça do bebê vai emergir e virar para um dos lados. Pode haver uma pequena pausa e depois, na próxima contração, sairão os ombros e, finalmente, o restante do corpo do bebê. Ele virá ao mundo em uma explosão de sangue, muco e líquidos não identificáveis com todas as cores do arco-íris misturadas.

Tchan-tchan-tchan-tchan!
Pronto! Você já é papai!
Respire fundo.
Tire algumas fotos caprichadas.
Olhe para seu filho. Acaricie sua esposa.
Curta esse momento.
Se quiser chorar, chore. Você não será o primeiro nem o último.

Um dia, você vai se lembrar e vai dar risada.

ESTÁGIO 3: DEPOIS DO PARTO

Logo depois do nascimento, é preciso limpar a garganta do bebê, para tirar todo o muco, o líquido e a porcaria que ele andou engolindo nos últimos meses. Isso é feito por um enfermeiro ou pelo médico, inserindo um tubo e aspirando tudo isso – uma parte da história que, devo dizer, não me agrada. O bebê vai reagir por reflexos e respirar pela primeira vez. Em seguida, o médico vai colocá-lo sobre a barriga da mamãe para ser aquecido e acariciado.

Talvez você fique surpreso com o aspecto de seu filho nesse primeiro contato. Talvez não seja o que você esperava. Porque, nos comerciais da TV e nos filmes, todos os bebês recém-nascidos são, de fato, bebês fotogênicos de 8 meses de idade que acabaram de tomar banho. Alguns recebem até aulas de interpretação teatral.

Recém-nascidos de verdade não são assim. Eles são coisinhas enrugadas, cobertas de uma secreção sanguinolenta e envolvidas em uma espécie de gosma grudenta chamada *vérnix*, que parece patê de queijo gorgonzola. Geralmente, eles parecem amassados e a cabeça tem um formato estranho ou podem ter marcas e equimoses causadas pela pressão no canal de parto ou pelo uso de fórceps para retirá-los. Alguns nascem com icterícia, ou seja, com a pele amarela, e alguns nascem com o corpo coberto de pelos finos, chamados *lanugem*, que faz com que eles pareçam filhotes de lobo em noite de Lua cheia.

Em suma, bebês recém-nascidos são feios e sujos. Todas as minhas filhas nasceram parecidas com Yoda – mas agora são lindas (juro!).

Outra característica chocante e raramente mencionada dos recém-nascidos é... Bem, como posso dizer...? Hum... Você sabe... Eles têm GENITAIS ENORMES. Recém-nascidos são surpreendentemente bem-dotados, e as partes íntimas nas meninas podem estar bem inchadas. Tanto os meninos quanto as meninas podem secretar leite pelos mamilos. Mas, antes que você fique orgulhoso pelo fato de seu bebê parecer um semideus ou um símbolo sexual, saiba que a bolsa escrotal, que nesse momento chega até o joelho, logo vai diminuir.

Se você olhar com cuidado, também vai perceber que seu bebê ainda está ligado à sua mulher por um longo cordão cinzento e retorcido, que parece um estranho macarrão gigante. É o cordão umbilical. Mas ele não pode ficar assim pendurado na mãe para sempre. (Isso o impediria de fazer até mesmo as coisas mais simples, como ir ao cinema, por exemplo.) Por isso, o cordão precisa ser cortado. Há quem atribua um grande significado simbólico a esse ato e frequentemente o pai é convidado a realizar essa complexa operação, que envolve um procedimento altamente técnico – manejar uma tesoura. Uma vez cortado o cordão, ele é selado com um clipe.

Se você cortar o cordão, faça-o no local certo ou você poderá causar danos irreparáveis a seu filho e – você já sabe – criar uma situação embaraçosa para ele no vestiário da escola, daqui a doze anos. Quando Rachael nasceu, eu pensei que tivesse cortado no lugar errado, porque o umbigo dela ficou com 10 centímetros de comprimento! Mas é assim mesmo. Nas próximas semanas, o cordão ficará ressecado e depois irá se soltar do umbigo. Se você tiver sorte, poderá encontrar esse rabicho seco no berço. Você pode, então, mandar a coisa para receber um banho de bronze ou prata e levar para o trabalho para mostrar aos amigos.

Depois que o bebê sai do útero, vem o restante, ou seja, todas as coisas que precisam sair de lá de dentro, além do bebê. Essas coisas, juntas, parecem um tomate gigante sem pele, uma almofada vermelha, dentro do casulo que manteve seu bebê vivo durante os nove meses. É o conjunto formado pelo saco amniótico, a placenta e o cordão umbilical. Depois que o bebê nasce, a placenta se solta do útero e sai pelo mesmo canal. Às vezes, sua mulher precisa receber uma injeção para estimular esse processo. Quando a placenta chega, ela é inspecionada para verificar se está íntegra ou se sofreu alguma ruptura ao se soltar da parede do útero, deixando restos lá dentro. Se você tiver sorte, o médico vai chegar bem perto de você com essa coisa e começar a lhe mostrar como funciona. Nesse momento, talvez sua mulher esteja levando alguns pontos, se ela precisou de uma episiotomia ou se houve alguma ruptura do canal de parto.

Enfim, chega de choradeira. Se você quiser e pedir com educação, talvez a equipe médica o deixe levar a placenta para casa. Parece estranho, mas há quem goste. Conheço um casal que foi visitar amigos para o chá da tarde. Era um dia lindo, chá, bolinhos e ótima companhia. De repente, os anfitriões, que haviam tido um bebê recentemente, pegaram uma pá, um saco plástico com algo suspeito dentro e convidaram todos a ir ao quintal para a cerimônia de enterro da placenta. Nojento, na minha opinião. Ainda é melhor do que ser como os gatos – eles comem a placenta (mas pelo menos têm a decência de não convidar os amigos para assistir).

Cerimônia de enterro da placenta...

SILÊNCIO

Depois da saída da placenta, o show está praticamente no fim. Os aparelhos são retirados da sala, parte da equipe desaparece. Começam a limpar a bagunça. Uma estranha calma se instala no ambiente. O recém-nascido está no colo da mãe, para mamar pela primeira vez. A mãe pode então acariciar e olhar bem esse bebê que ela carregou na barriga por nove meses, e que ainda não conhecia pessoalmente.

Seu bebê vai ser examinado e vai receber uma "nota" – o escore Apgar – que atribui pontos à cor da pele, à respiração, aos reflexos, aos batimentos cardíacos e ao tônus muscular. Algumas vezes, também se faz um teste de audição simples e rápido. O bebê é pesado, medido, limpo e, às vezes, até toma banho. Também medem o diâmetro da cabeça. Depois, ele ganha uma pulseirinha do hospital, com o nome, peso, data e hora do nascimento. Isso evita confusão e brigas entre pais pelos seus bebês.

Durante os primeiros dias de vida, o bebê receberá um "drinque energético turbinado", proveniente dos seios da mãe – é o colostro. Às vezes, ele é chamado de "ouro líquido", pela coloração amarelada. O colostro é mais espesso e pastoso que o leite propriamente dito, que deverá aparecer dentro de alguns dias.

O colostro é um coquetel incrível, mais poderoso e nutritivo que qualquer coisa que se possa criar em laboratório. Ele é um alimento enriquecido, uma bebida energética concentrada que traz vários benefícios ao bebê: tem efeito laxante, para colocar o sistema digestivo do recém-nascido em funcionamento; tem efeito nutritivo, já que é uma mistura de coisas boas, como aminoácidos, sais minerais, sódio, potássio, vitaminas A e E, e carotenoides – seja lá o que for isso. O mais importante é que o colostro ajuda o sistema imunológico do bebê, pois é rico em imunoglobulinas e, portanto, atua como uma espécie de barreira antivírus e de proteção contra os agressores presentes no ambiente, agora que o bebê saiu da redoma do útero. Se o colostro pudesse ser filtrado, embalado e vendido como suplemento alimentar, seria tão poderoso que, provavelmente, sua venda seria ilegal.

> LOGO QUE NASCE, SEU BEBÊ É EXAMINADO E RECEBE UMA NOTA: O ESCORE APGAR.

Algumas horas mais tarde, sua mulher vai poder tomar um banho, mas provavelmente precisará da sua ajuda para isso.

E pronto.

O bebê vai ser vestido e enrolado, bem enroladinho, em uma manta. Em seguida, a equipe de enfermagem provavelmente vai deixar vocês três sozinhos no quarto, para se conhecerem.

Depois de todo aquele barulho, toda a dor e todo o tumulto do parto, é realmente gostoso poder relaxar e curtir seus primeiros momentos sozinhos, juntos, em silêncio. Após nove meses de espera, a visão do bebê pela primeira vez causa uma espécie de admiração – uma atitude contemplativa. Você vai começar a atentar para pequenas coisas – dedinhos, olhos, orelhas, dobras da pele. Toda essa experiência pode causar uma descarga de adrenalina que vai deixá-lo "ligado" e insone pelos próximos três dias.

E quando vocês estiverem lá, juntos, no quarto, exaustos depois de todo o esforço, você poderá pensar: "Ufa! Finalmente acabou."

Pode esquecer. O trabalho duro está apenas começando.

CRIANDO LAÇOS

Provavelmente, você já ouviu a expressão "criar laços". Um laço, segundo uma das definições do dicionário, é algo que une pessoas. Liga, amarra, mantém unidas as pessoas. É uma expressão frequente quando se trata de pais e filhos. Diz respeito ao processo de criar uma ligação com seu bebê, de sentir que ele é parte da família, criar laços emocionais, estabelecer uma união entre vocês.

Eu esperava que esses laços se criassem no momento exato em que meu bebê viesse ao mundo. Pensei que fosse olhar para o bebê e sentir uma onda de amor e ligação emocional.

Isso não aconteceu.

Eu esperava que tudo fosse mágico, místico e instantâneo.

Não foi.

Quando minhas filhas nasceram, foi fantástico e tudo o mais de que já falamos. Mas eu não me senti "ligado" a elas imediatamente. Eu queria me sentir assim. E fiquei me perguntando onde estariam os violinos e a névoa romântica. Meredith, ao contrário, estabeleceu imediatamente esse vínculo. Logo que recebia o bebê nos braços e começava a amamentar, ela ficava fora do mundo – acariciando e contemplando o bebê com um olhar de profunda felicidade, amor e adoração.

Para ser franco, levei bastante tempo para criar laços com minhas filhas. Com certeza, fiquei emocionado quando segurei cada uma pela primeira vez ou quando a mãozinha apertou meu dedo. Mas eu não fiquei tão "bobo" quanto esperava.

Em retrospectiva, lembro-me de vários momentos em que senti que os laços estavam, de fato, se formando. Foram os momentos em que minhas filhas se comunicaram comigo de alguma forma. A primeira vez que seus olhinhos me seguiram. O primeiro sorriso que elas me deram. A primeira vez em que estenderam os braços para mim. A primeira vez que dormiram sobre o meu peito. A primeira vez que vomitaram sobre mim. A primeira vez que disseram "Pa... pa" – pelo menos foi o que eu entendi elas dizerem.

> Alguns pais criam laços com os filhos logo que estes nascem; outros vão criando vínculo nas semanas seguintes. Então não se preocupe: tudo vem a seu tempo.

Quando olho para trás, percebo que minhas expectativas eram tão tolas quanto imaginar que eu poderia ter amado Meredith à primeira vista. Criar laços é um processo do relacionamento e qualquer livro de psicologia social vai lhe dizer que um relacionamento rico ou mesmo a sensação de estar ligado a alguém não é algo que ocorre num piscar de olhos. Leva tempo.

Como a maioria das experiências ligadas à paternidade, cada pessoa é diferente da outra. Conheço sujeitos que realmente criaram laços com os filhos imediatamente. Pegaram o bebê recém-nascido no colo (eca!) e quase desmaiaram. Passaram os dias seguintes totalmente obcecados por esse novo membro da família. São esses os sujeitos que mandam revelar seis rolos de filme uma hora depois do nascimento. Fique longe deles.

Também conheço outros que, como eu, receberam seus bebês com certo distanciamento inicial, mas que foram criando vínculo nas semanas seguintes.

Não se preocupe. Tudo virá a seu tempo.

CELEBRAÇÃO

Bem, parabéns! Agora você já é, oficialmente, "papai". Bem-vindo ao mundo da paternidade.

Um passo tão monumental merece uma celebração monumental.

Tendo sido criado em frente à TV, eu sempre ficava impressionado com as cenas em que pais orgulhosos celebravam o nascimento do primeiro filho na companhia dos amigos. Essas comemorações sempre tinham muito champanhe, barulho e, sobretudo, charutos. Portanto, chovesse ou fizesse sol, eu sabia exatamente o que faria quando meu primeiro filho nascesse.

E aí chegou Rachael. Eu estava tão eletrizado que fiquei sem dormir por vários dias. Tudo parecia estar envolvido em uma névoa de euforia atemporal, que começara com uma grande festa. Convidei todos os amigos e conhecidos para irem a nossa casa, assistir a trechos selecionados, especialmente caprichados, das horas e horas de vídeo que eu havia gravado. Todos me parabenizavam pelo excelente trabalho que eu havia feito. Que proeza! Eu devia estar orgulhoso de mim! Naquela noite, o champanhe jorrou e fumamos, meus amigos e eu, uma caixa inteira de charutos. Isso é engraçado, porque a única coisa que eu detesto mais que champanhe é o fumo. Mas era isso o que eu havia programado e imaginado durante anos, por isso que viessem o champanhe e os charutos!

Enquanto eu comemorava e me entregava a esses prazeres egoístas, minha mulher estava lá, exausta, num quarto de hospital, tentando administrar as exigências do bebê. Quando caí em mim, não apenas me senti fisicamente exausto e inútil, mas também culpado por tê-la abandonado daquela maneira. Talvez eu devesse ter poupado minhas energias e ter passado um pouco mais de tempo no hospital. Talvez eu pudesse ter adiado a comemoração até que minha mulher e minha filha pudessem estar presentes. Afinal, elas eram as estrelas do show, foram elas que fizeram todo o trabalho.

Eu aprendi a lição. Quando Georgia nasceu, as comemorações foram bem mais controladas. Eu só fumei metade da caixa de charutos e só fiquei sem dormir quarenta e oito horas. E, quando Matilda nasceu, finalmente fiz tudo certo. Celebrei com uma cervejinha e uma cigarrilha com filtro. E fui deitar cedo... Mas passei a noite em claro.

FIQUE CALMO

É muito fácil ficar excitado pelo nascimento do primeiro filho. Mesmo que você ainda não tenha estabelecido aqueles laços afetivos de que falamos, é uma ocasião verdadeiramente especial e você ainda sente os reflexos dos nove meses de espera ansiosa. Você sente como se tivesse *jetlag*, como se tivesse mudado de fuso horário, e o tempo parece perder o significado. Afinal, algo *realmente* grande aconteceu e seus amigos costumam fazer um grande espalhafato a respeito. Ainda por cima, depois de testemunhar o milagre do nascimento em si, não é de admirar que você se deixe levar pela emoção.

Entretanto, talvez você comece a perder o senso de proporção e achar que o nascimento de seu filho é o evento mais importante da história recente. É o chamado "pai obsessivo".

Os primeiros sinais desse distúrbio são o excesso de fotografias e vídeos. Como tudo é novidade e o acontecimento é muito importante, você quer captar o máximo possível para a posteridade. Por exemplo, eu tirei umas 20 fotos somente dos pés de Rachael. Felizmente, só duas estavam em foco.

O maior problema – e qualquer pai com dois filhos ou mais poderá confirmar – é que o primeiro filho acaba tendo uns quinze álbuns de fotografias e uma caixa cheia de vídeos gravados, uma página de internet só dele e um DVD caseiro, com trilha sonora e tudo, só para documentar o primeiro ano de vida. O segundo filho tem um álbum de fotografias, um vídeo e algumas imagens gravadas em jpeg em um CD. O terceiro acaba ficando apenas com algumas fotos guardadas no envelope da ótica (em alguma caixa não se sabe onde dentro de casa) e alguns minutos de gravação em vídeo, metade apagada por engano quando você levou a câmera para filmar a final do campeonato.

Outro sintoma da obsessão paterna é a incapacidade de falar sobre outro assunto que não seja o bebê. Você deve cuidar para evitar longos monólogos na frente de vizinhos, amigos, parentes ou colegas, acerca da sua experiência como pai. Lembre-se: sua vida pode ter virado de ponta-cabeça, mas a vida dos outros continua normalmente. A maioria dos amigos quer saber como foi o parto e como a mãe e o bebê estão passando, mas não estão interessados em um relato pormenorizado, de uma hora, recapitulando o nascimento passo a passo.

Muitas pessoas preferem a rapidez e conveniência de divulgar a boa-nova aos amigos e familiares por e-mail. É um método mais eficiente do que contatar todos pessoalmente – por outro lado, é mais impessoal. Mas não complique. As pessoas querem saber o nome e o peso do bebê, como a mamãe está passando e como foi o parto, resumidamente. Querem ver uma ou duas fotos do recém-chegado em jpeg, em vez de receber um boletim de 3 mil palavras acompanhado de imagens que ocupam vários *gigabytes* na caixa postal.

> SE FOR SAIR COM SEUS COLEGAS PARA TOMAR UMA CERVEJA, LEMBRE-SE DE QUE ELES PROVAVELMENTE NÃO VÃO QUERER CONVERSAR SOBRE ALEITAMENTO MATERNO OU FEZES DE BEBÊ.

Se você e seus colegas do trabalho saírem para tomar uma cerveja, provavelmente eles não vão querer discutir a ética da intervenção no parto; não vão querer saber sobre rupturas de períneo; não vão querer debater as vantagens do aleitamento materno em relação à mamadeira e certamente não estarão interessados em saber como está evoluindo a consistência das fezes do bebê.

Também é importante considerar questões de decência. Certas coisas foram feitas para serem mantidas em segredo entre o casal. Por exemplo, não creio que sua mulher queira que você descreva minuciosamente para os amigos como ficou a vagina após o parto ou as rachaduras que ela teve nos seios. Sei que minha mulher não gostou.

Eu também cometi o erro de obrigar nossos amigos a assistirem aos vídeos "nós tomando café da manhã no dia do nascimento", "um *tour* pela maternidade, incluindo entrevistas com pessoas interessantes que encontrei por lá", "mamãe e bebê logo após o nascimento", "arranjos de flores na sala de parto", "eu no estacionamento do hospital" e assim por diante. Nas primeiras duas horas, eles aguentaram, mas depois o clima ficou pesado.

Nenhum voltou a nos visitar.

DEPRESSÃO PÓS-PARTO

Eu já tinha ouvido falar dessa tal de *depressão pós-parto*, um período de mudança do humor, caracterizado por uma espécie de tristeza, que algumas mulheres experimentam depois do nascimento do bebê. Instintivamente, no entanto, eu sabia que isso não aconteceria com minha mulher. Esse negócio de depressão pós-parto era para outras mulheres – mulheres fracas emocionalmente ou com tendência à depressão em outras situações. Minha mulher, não. Ela é a pessoa mais tranquila, racional e controlada que você possa imaginar. Então, essa história de depressão pós-parto não tinha nada a ver com ela, certo?

Errado. Durante as últimas semanas da gravidez e, particularmente, durante o trabalho de parto, a mulher sofre uma overdose do seu opiáceo natural – as endorfinas. Após o nascimento, a maioria das mulheres tem uma quantidade de hormônio correndo nas veias suficiente para jogar um touro enraivecido a uns 15 metros de distância. Só que esses hormônios acabam e elas entram em abstinência. Acrescente-se a isso o fato de que o parto é doloroso e fisicamente extenuante; a mulher não se recupera da noite para o dia, particularmente se o parto foi traumático ou se elas precisaram de episiotomia e receberam pontos. Tudo isso é agravado pela mudança do padrão de sono da mãe (leia-se: total impossibilidade de dormir) e pelo fluxo constante de visitas em casa. Há, ainda, a ansiedade e a pressão mental de ser responsável por um novo ser, dependente e exigente. O resultado é esse coquetel emocional chamado *depressão*.

Dependendo da sua fonte de consulta, você verá que algo entre 60% a 85% das mulheres têm depressão pós-parto, que pode durar algumas semanas. Por isso, quando você for visitar alguém na maternidade, preste atenção e ouvirá ao longe o som de um violão, de uma gaita e de um coro de tristes vozes femininas, cantando uma paródia de *I got the blues*, canção dos Rollings Stones, que diz mais ou menos o seguinte:

> *Dia desses, tive um bebê*
> *Mal posso andar*
> *Meus mamilos estão doendo, rachados*
> *Meu marido e eu nem podemos nos falar*
> *Estou triste, muito triste*
> *Eu digo, estou muito, muito triste*
> *Meu problema é essa tristeza*
> *De amamentar e ser mãe*
> *Estou triste, muito triste.*

Cada mulher reage de uma forma, mas a depressão pós-parto pode ser desencadeada praticamente por qualquer coisa e geralmente se manifesta por flutuações do humor e choro fácil. Não adianta discutir nem tentar fazer sua mulher não ficar deprimida. Seu papel é ajudar e dar apoio a ela da forma mais adequada possível. Seja sensível e compreensivo. Procure incentivá-la e confortá-la. Fale com ela, abrace-a.

Esteja à disposição dela e do bebê o máximo que puder. Ela precisa descansar, por isso você deve ajudar, ficando com o bebê ou cuidando da enxurrada de visitas (ver adiante).

Não diga a ela como você está aproveitando esse período sozinho em casa. Não conte a ela sobre todas as festas que fizeram para você. Não diga a ela para deixar de ser boba e parar de chorar feito criança.

Seja carinhoso, meu chapa!

> A DEPRESSÃO PÓS-PARTO PODE LEVAR A MULHER A SE SENTIR PERDIDA, CONFUSA E INFELIZ. PROCURE INCENTIVAR E CONFORTAR SUA ESPOSA AO MÁXIMO.

Em alguns casos, a depressão pós-parto não passa. Só piora. E se torna um problema grave, que leva a mulher a se sentir perdida e confusa, cansada e infeliz. A rotina doméstica depois da chegada do bebê pode embotar os sentidos. E a mãe pode ter dificuldade para criar laços afetivos com o bebê. Ela também pode se sentir à beira de um colapso nervoso e isolada do mundo. Muitas mulheres se queixam de estar permanentemente fora do seu equilíbrio habitual.

A depressão pós-parto pode durar meses ou mesmo anos. Discuta o assunto abertamente com sua mulher. Dê apoio e atenção a ela. Procure manter uma conversação madura, explicando que ela não deve se sentir culpada nem envergonhada das emoções dela. Ajude com as tarefas domésticas, providencie para que ela tenha um ambiente estável e organizado em casa. Se for necessário, peça a amigos e familiares que venham visitá-la. Procure alternativas para que ela possa se envolver, por exemplo, em terapia de grupo com outras mães, atividades lúdicas, grupos de apoio espiritual e outros. Não tenha receio de buscar ajuda profissional. Ligue para o obstetra, para o médico da família ou procure um centro de atendimento materno-infantil.

Seja qual for sua atitude, só não ignore o problema nem finja que vai passar.

Sua mulher precisa de você, lembre-se disso!

AS VISITAS

É muito bom ter amigos. Com certeza, seus amigos e parentes vão querer compartilhar com você e sua mulher esse momento de tanta alegria. A maioria vai querer visitar a mamãe e o bebê no hospital, levando presentes e ficando para olhar e até pegar o bebê.

Visitas são uma coisa boa. Elas quebram a monotonia da rotina hospitalar e animam sua mulher se ela estiver se sentindo triste. É muito bom ver rostos familiares e receber flores para alegrar o quarto. Mas as visitas podem se tornar um incômodo, particularmente se você tem uma família grande e muitos amigos. Esse incômodo é matematicamente relacionado ao número de amigos e parentes que vocês têm, às horas do dia em que eles decidem fazer a visita, ao tempo médio de permanência deles, ao volume de ruído que eles produzem e à dificuldade para se livrar deles.

O maior problema é que as visitas são muito cansativas. Se você for realmente azarado, haverá um fluxo constante de visitas, uma após a outra, como se fosse uma procissão. Haverá uma repetição interminável de fotos, perguntas, presentes, bate-papos, risadas... o dia inteiro. A mãe e o bebê acabarão ficando exaustos e irritados.

É justamente aí que você pode ajudar. Concentre-se nas necessidades de sua mulher. Talvez ela e o bebê não queiram receber nenhuma visita. Talvez sua mulher esteja exausta e precise de um tempo para se recuperar. Se esse for o caso, peça aos amigos que esperem alguns dias e procure marcar as visitas para que não cheguem todos ao mesmo tempo. Além disso, procure demovê-los da ideia de chegar fora dos horários estipulados para visitas. Dessa forma, tanto sua mulher quanto o bebê poderão ter um pouco de descanso.

Atente, também, para a privacidade de sua mulher. Pode ser surpresa para você, mas ela talvez se sinta desconfortável em se despir para amamentar o bebê na frente de todos os seus companheiros do time de futebol, particularmente se o bebê não estiver colaborando.

Não tenha receio de dizer às visitas – sejam elas quem forem – que está na hora de saírem. Se elas não entenderem a dica, chame a enfermeira – geralmente, ela tem um bastão elétrico que funciona muito bem.

ATENÇÃO: ELES ESTÃO CHEGANDO

Logo sua mulher e seu bebê estarão voltando para casa. Se você for esperto, já terá providenciado algumas coisas que poderão facilitar um pouco essa chegada. Nos próximos meses, a rotina doméstica vai ficar bem desorganizada, enquanto vocês dois se habituam a conviver com essa nova pessoinha da casa e a cuidar dela. Portanto, use o pouco tempo que você tem sozinho para acertar os preparativos finais. Será sua chance de um bom começo.

Uma boa medida é limpar e arrumar a casa toda para esperar o bebê. Algumas bolas coloridas e flores também não são má ideia. Acredite: você não estará começando com o pé direito sua nova vida doméstica se sua mulher chegar da maternidade e encontrar camas desfeitas, uma pilha de roupa para lavar e passar, louça suja na pia, móveis empoeirados e alguém esperando-a para resolver tudo isso.

Uma geladeira vazia também não vai fazer sua mulher amá-lo, portanto abasteça-a. Quando minha mulher ainda estava no hospital com Georgia, comprei carne, legumes pré-cozidos e molhos. Passei uma manhã na cozinha preparando vários pratos e arrumando-os em bandejas de alumínio. Rotulei tudo e enchi totalmente o freezer. Por que não abastecer o freezer com massas e molhos? Depois foi só aprontar os legumes, fazer um arroz e entremear esses congelados com algumas refeições ou comidas prontas, pedidas por telefone, e conseguimos nos alimentar por várias semanas sem muito trabalho, o que foi especialmente útil nos dias em que a rotina ficou mais tumultuada. (Estou falando de comida decente, não de porcarias gordurosas e salgadas, pizza congelada ou batata frita de pacote.)

Também é importante que você durma. Se você tiver que ajudar a cuidar do bebê, precisará estar descansado e bem acordado. Noitadas e maratonas em frente à TV até altas horas só irão deixá-lo esgotado, justamente no momento em que você precisará de toda sua energia.

A CALMARIA ANTES DA TEMPESTADE

Até aqui, tudo foi interessante. Provavelmente, você foi trabalhar todos os dias e passou pelo hospital para uma visitinha. Você ficou um pouco com o bebê no colo, passou algumas horas agradáveis com sua mulher e depois voltou ao "mundo real". Na verdade, foi quase como umas férias, você sozinho em casa por alguns dias. Você fez o que quis, viu aqueles DVDs que estava querendo ver havia muito tempo, pediu comidinhas apimentadas...

Foi a calmaria antes da tempestade.

O bebê não vai ficar no hospital para sempre. Depois de alguns dias, o médico vai dizer: "Muito bem, vamos embora!" Você vai buscar sua mulher, seu bebê, as bolsas, as flores e os cartões e voltar para casa com eles. A primeira coisa que você vai notar é que "vocês dois" agora são "vocês três". Há outra pessoa no banco de trás do carro.

É nesse momento que tudo aquilo que você aprendeu, leu, discutiu e imaginou é posto à prova. É o momento em que a teoria entra em choque com a realidade. A vida nunca mais será a mesma. Portanto, aperte o cinto.

Você está prestes a enfrentar uma tempestade.

CAPÍTULO 5

SOBREVIVÊNCIA EM CASA

Um dia, quando seu bebê tiver 17 anos e vier lhe pedir para aprender a dirigir ou para usar anticoncepcionais, você vai se lembrar desse período como "os anos mais fáceis".

A VIDA APÓS O NASCIMENTO

Descobri uma coisa muito interessante a respeito de festas de casamento.

Os noivos aparentemente passam todo o tempo ocupados com os preparativos para o "grande dia". Durante meses e meses – anos, em certos casos –, toda a existência deles é dedicada aos milhares de pequenos e complexos detalhes necessários para que eles tenham aquele casamento de contos de fadas que as revistas femininas exigem.

> MUITOS CASAIS SE PREOCUPAM BASTANTE COM O PARTO E SE ESQUECEM DE PREPARAR-SE PARA TUDO QUE VIRÁ DEPOIS QUE O BEBÊ NASCER.

E, assim, chega o grande momento. Depois de tantos meses de esforço, tudo acontece como eles queriam. A cerimônia segue rigorosamente o que foi planejado e tudo sai perfeito. Entre chuvas de arroz e confete, os noivos se vão, ao entardecer, suspirando de alívio agora que tudo terminou.

É claro que nada terminou – está só começando. Acho que existem casais que passam tanto tempo concentrados na festa de casamento que se esquecem de reservar um momento para pensar no mais importante... na vida que terão juntos pela frente. Por isso, para alguns desses jovens casais, os primeiros dias do casamento podem ser um choque. Eles foram pegos de surpresa, como se diz.

O mesmo acontece com algumas pessoas, quando têm o primeiro filho. Elas passam tanto tempo se preocupando com o parto – lendo, conversando a respeito, fazendo cursos – que se esquecem de olhar para a frente, para a parte mais importante que ainda está por vir, ou seja, serem pais e lidarem com esse novo membro da família.

Esse é um erro fatal. É fundamental que você e sua mulher dediquem algum tempo, *antes* do nascimento, a pensar e conversar sobre a vida de vocês *depois* do parto.

OS TEMPOS SÃO OUTROS

Você se lembra da sua vida antes da chegada do bebê? A vida com um bebê recém-nascido em casa não será como antes. Bebês exigem muito do seu tempo e, no pouco que sobra, você precisa dormir. Assim, há vários aspectos da sua vida doméstica que terão de ser ajustados às novas circunstâncias. Para ajudá-lo a entender do que eu estou falando, veja a lista de coisas que passarão a ser difíceis quando você tiver um bebê em casa (detalhe: eu disse "difíceis", não "impossíveis").

- ouvir música em volume alto;
- fazer compras;
- lavar a louça;
- lavar o carro;
- lavar roupas;
- colocar roupas no varal;
- passar roupas;
- cortar grama;
- ler um bom livro;
- ver um DVD sem interrupção;
- passar uma noite agradável, juntos, em casa;
- ter uma conversa madura, profunda;
- sair;

- ter uma boa noite de sono;
- cochilar;
- fazer sexo sem ter planejado;
- fazer sexo mesmo tendo planejado;
- sequer pensar em fazer sexo;
- cozinhar;
- comer em paz;
- limpar a casa;
- praticar seu instrumento musical;
- trabalhar em casa (erro fatal);
- escrever um livro.

A principal consequência disso é que sua casa vai lhe parecer diferente do que era antes. Você pode ter uma casa espaçosa e arejada, construída para entretenimento, uma casa cheia de objetos bonitos e interessantes. Você pode ser obcecado por limpeza e arrumação.

Tudo isso ficará em segundo plano.

Nos próximos anos, sua casa vai virar uma terra de ninguém. Os vidros das janelas ficarão marcados por dedinhos gordurosos. Bananas e maçãs serão esmagadas no carpete. Você vai sempre sentir cheiro de urina e amônia e, com frequência, um odor desagradável de alguma coisa estranha pairando no ar, sem que você consiga saber de onde vem. Cada nicho e cada canto da casa ficarão cheios de pecinhas de brinquedos de montar, crostas de alguma coisa, bichinhos de pelúcia, carrinhos, lápis quebrados e roupas de boneca. Todas as gavetas e os armários a menos de 1 metro de altura terão seu conteúdo espalhado, de tempos em tempos, por todos os cômodos da casa.

Eu queria poder dizer algo como "Não, espere! Os bebês, na verdade, tornam sua vida mais fácil! Você nem vai perceber que eles estão lá!"

Mas isso seria mentira.

Bebês dão muito trabalho. E, para ser um pai ativo e participativo, você precisa ajudar a encarar todo esse trabalho. Não sei qual é seu contexto doméstico, se sua mulher vai ficar sempre em casa ou se vai voltar a trabalhar depois de alguns meses. Talvez vocês sejam bem liberais e quem vai ficar em casa cuidando do bebê seja você mesmo. Ou pode ser que a situação econômica exija que vocês dois trabalhem em tempo integral, caso em que vocês terão de planejar muito bem quem vai ficar com o bebê e qual vai ser a divisão de trabalho. Seja como for, o fato é que vocês terão que discutir e planejar seus afazeres domésticos e, repito, "colocar a mão na massa".

Com certeza, nem tudo o que você terá de fazer envolverá diretamente o bebê. Se no passado você foi aquele tipo de sujeito que cortava a grama e lavava o carro enquanto sua mulher fazia as compras, lavava, limpava e cozinhava, vai precisar de um rápido treinamento prático.

E não importa o que você faça, nunca, mas nunca mesmo, chegue em casa e diga "Por que esta casa está tão bagunçada? O que temos para jantar? Você ainda não passou minhas camisas?" Uma mulher cansada, com os seios doendo, não deve ser contrariada, a menos que você queira receber um balde cheio de fraldas sujas na cabeça.

MAMAS E MAMADEIRAS

Existem assuntos que geram controvérsias permanentes:
- Quem é o melhor técnico de futebol?
- Jesus Cristo foi um mentiroso, um lunático ou nosso salvador?
- Quem foi o melhor Batman? Adam West, Michael Keaton, George Clooney, Val Kilmer ou Christian Bale?
- Será que Elvis não morreu?

E esta pérola:
- A mãe deve amamentar o bebê ou dar mamadeira?

A alimentação do bebê é um assunto surpreendentemente controvertido. Defensores de cada uma dessas opções podem se tornar muito radicais sobre seus pontos de vista. Há duas correntes inimigas: a Aliança pela Mamadeira contra as Amamentadoras Unidas e cada lado tem as próprias entidades de defesa, seus boletins e satélites de rastreamento.

Considerando que a maior parte das prateleiras da seção "pais e filhos" nas livrarias é ocupada por publicações sobre alimentação do bebê, seria muita pretensão minha tentar abordar esse assunto em profundidade. Mas, para não deixar de falar nisso, aí vão os principais argumentos:

Amamentar:

- é natural;
- o leite é fresco e contém muitos anticorpos que fortalecem as defesas imunológicas do bebê;
- contribui para a intimidade e a ligação entre mãe e filho;
- racha os mamilos da mãe;
- algumas mulheres ficam constrangidas de amamentar em público (embora na época atual isso não seja exatamente um problema);
- pode ser frustrante e demorado;
- não pode ser feito por você, o pai;
- pode ser afetado pelos hábitos e pela alimentação da mãe (cebola, nicotina, alho, etc.);
- pode-se lançar mão da tecnologia para coletar o leite quando a mãe precisa sair;
- e é barato (gratuito!).

Mamadeira:

- não é usada por nenhum outro mamífero do planeta;
- pode ser dada ao bebê pelo pai;
- o leite não é "fresco", saído da mãe, mas derivado da vaca, ou da soja, e suplementado com vitaminas e minerais;
- os mamilos da mãe não sofrem;

- você tem que andar por toda parte carregando kits de mamadeiras e esterilizadores;
- pode ser mais prático para casais que trabalham fora;
- pode ser preparada facilmente pela babá;
- e custa dinheiro.

Você já deve ter percebido que eu sou favorável à amamentação. E isso se dá por dois motivos principais. O primeiro é que a revista *Choice* diz: "Breast is best" ("peito é melhor"). O segundo motivo é que meu primo faz aconselhamento sobre lactação e eu vou ouvir muito se não empunhar a bandeira da amamentação.

Em qualquer opção, você tem um papel importante. O bebê recém-nascido precisa ser alimentado a cada quatro horas, durante as vinte e quatro horas do dia. Isso significa que é preciso se levantar periodicamente durante a noite. Se sua mulher amamentar, você pode ajudar indo buscar o bebê e colocando-o de volta para dormir depois da mamada. Se o bebê toma mamadeira, faça uma escala para dividir a carga de trabalho.

> MESMO QUE O BEBÊ AINDA MAME APENAS NO PEITO, VOCÊ PODE AJUDAR LEVANDO-O ATÉ SUA MULHER E COLOCANDO-O NO BERÇO APÓS A MAMADA, OU ENTÃO FAZENDO-O ARROTAR.

Você também pode ajudar segurando o bebê para arrotar. Como ele suga e engole o leite com muita avidez, costuma engolir ar durante a alimentação. Esse ar fica preso no estômago, causando grande desconforto. O bebê chora, provocando estresse, tensão e noites em claro para os pais (ver adiante).

Para que o bebê consiga arrotar, você deve segurá-lo bem na vertical, com a cabeça acima do nível de seu ombro e dar pancadinhas de leve nas costas dele enquanto o distrai com uma canção. Depois de alguns minutos, o bebê vai surpreendê-lo com um trovão ensurdecedor – o tipo de arroto que você esperaria ouvir de um caminhoneiro depois de uma rodada dupla de cerveja. Geralmente, o arroto vem acompanhado de um poderoso jato de leite talhado, embora essa regurgitação geralmente só aconteça quando você está usando sua melhor camisa. Se você gosta de dar beijinho de esquimó, esfregando o seu nariz no do bebê quando ele acabou de mamar, lembre-se de pedir a sua mulher para filmar essa cena porque assim ela poderá captar o momento em que o bebê regurgitar em sua boca e você poderá enviar as imagens para um desses programas de TV sobre "vídeo cacetadas".

Se sua mulher decidir amamentar, fantástico. Mas se a opção for o leite em pó na mamadeira – caso sua mulher esteja doente ou estressada ou se o bebê recusar o seio – tudo bem. No mundo inteiro, bebês tomam leite em pó infantil na mamadeira todos os dias. Portanto, leia livros, converse com sua mulher, discutam, vocês dois, o assunto com o médico e com os assistentes sociais que prestam aconselhamento sobre aleitamento materno até chegarem a uma solução que seja ideal para a mãe e o bebê.

Mais duas coisinhas. Eu não precisaria dizer isso, mas vou dizer... para garantir.

- Nunca use leite materno ou leite em pó de bebê em seu café. Ouça o que eu digo.
- Algumas mulheres começam a secretar leite ao menor estímulo. Nunca, mas nunca mesmo, diga a uma mãe que está amamentando coisas como: "Ei, você está amamentando? Que legal! Cria uma intimidade com o bebê, não? É fantástico saber que você está usando seu corpo para nutrir o bebê, ver a boquinha do bebê sugar seu seio, ouvir o ruído do leite entrando na boquinha dele. Deve ser uma sensação muito gostosa!" Duas manchas de leite vão surgir na blusa da mulher, instantaneamente, e ela não vai ficar nem um pouco feliz com isso.

O CHORO

Eu nunca poderia imaginar que os bebês chorassem tanto. Acho que é porque, quando era criança, o único bebê que eu conhecia era

Jesus na manjedoura, nas imagens dos cartões de Natal. Você já viu algum cartão de Natal em que Jesus está chorando? Não. Ele está sempre dormindo. Que decepção! (Na verdade, tenho amigos que acreditam que essa seja exatamente a prova de que Jesus era o Filho de Deus. Mas agora estou divagando.)

O carro do nosso vizinho tem um alarme defeituoso que dispara a qualquer hora do dia ou da noite e fica tocando por horas a fio. *Uuuaaaaaaaeeeerrrrr. Uuuaaaaaaaeeeerrrrr.* É um gemido de buzina excruciante que continua, sem parar, até que todos os moradores da rua fiquem à beira da insanidade. Quando a coisa começa, tenho vontade de ir até lá e gritar com ele e martelar o carro todo. Assim, o alarme teria razão para disparar.

Agora imagine ter um alarme desses vivendo com você, em casa. Um alarme que dispara periodicamente, durante o dia e a noite. E imagine que você precisa pegar o alarme no colo, acalentá-lo e beijá-lo. Você canta para ele, procura acalmá-lo com palavras carinhosas e o que acontece? Ele só grita ainda mais alto! Assim é um bebê quando decide chorar para valer. Nesse caso, gritar e dar marteladas são opções fora de cogitação.

Bebês choram. É o trabalho deles. E eles são muito bons nisso. Na verdade, alguns bebês adoram chorar. E, quando eles choram, não é porque estão querendo agradar. O choro do bebê é quase sempre alto, incessante e muito irritante. E é assim mesmo. É para chamar atenção. O que ele está dizendo é: "Ei, você, venha cá! Eu preciso de alguma coisa!"

> QUANDO O BEBÊ CHORA, ELE QUER DIZER: "EI, VOCÊ, VENHA CÁ! EU PRECISO DE ALGUMA COISA!"

Como você sabe, quando você ou eu queremos alguma coisa, nós vamos lá e pegamos. Se estamos desconfortáveis, procuramos ficar mais confortáveis. Se temos sede, vamos até a geladeira. Se temos fome, ligamos para a pizzaria e fazemos o pedido. Mas os bebês não podem fazer nada disso. A única maneira que eles têm de se comunicar é o choro. Por isso, eles choram quando estão sozinhos, com sede, com fome, com frio ou com calor, choram se estão cansados ou molhados, se a TV está muito alta ou se a luz está muito forte. Choram porque era melhor dentro do útero ou porque não gostam do modo como você decorou o quarto.

Em suma, bebês choram por qualquer coisa. O problema é que todo e qualquer animal – da lesma do Himalaia ao *Homo sapiens* – tem seu instinto de proteção despertado ao ouvir o choro de seus filhotes. Por isso, tenha cuidado: você não vai querer superproteger seu filho e tratar qualquer choramingo como se fosse uma emergência nacional. Se você mimar seu filho, ele vai acabar se tornando uma daquelas crianças que encontramos nas lanchonetes que gritam: "Quero batata frita! Quero um boné de brinde! Detesto picles! Quero o boneco do Shrek!" Por outro lado, você não vai querer ser um daqueles pais que aparecem no noticiário das 8 porque deixaram o bebê chorando durante dois dias seguidos.

A verdadeira diversão começa quando você entra no jogo de tentar adivinhar o que há de "errado" com seu bebê. Você nunca vai vencer esse jogo. Simplesmente porque alguns bebês choram porque querem chorar. E, às vezes, não há nada que você possa fazer a respeito.

E, naturalmente, precisamos falar sobre o arquinêmesis de todos os pais: a CÓLICA.

Cólica (palavra que vem do alemão *Karlech*, que significa "grito da morte") é uma dessas coisas que acontecem sem que ninguém possa explicar por que – como bocejos, *biro leaks* súbitos e reality shows na TV.

O choro de cólica tem um padrão estridente e ininterrupto, que se repete sempre na mesma hora, diariamente, em geral no fim da tarde ou no início da noite. Os episódios podem durar algumas horas de cada vez e o problema pode se estender por vários meses.

Quando esse tipo de choro começa, é melhor consultar o médico para ter certeza de que o bebê não está chorando por algum motivo mais grave. De resto, a única coisa a fazer é tentar lidar com o barulho. Verifique se não está na hora da alimentação, meça a temperatura do bebê, console-o, fale com ele ou troque a fralda. Talvez você consiga acalmá-lo com uma massagem, com a chupeta ou balançando o berço. Se nada disso funcionar, vá sentar um pouco no jardim ou leve o bebê para um passeio no carrinho. O choro parece menos dramático fora dos limites claustrofóbicos da casa. Por que não ir até um shopping bem movimentado? O bebê não vai, necessariamente, se acalmar, mas pelo menos você vai dividir seu sofrimento com muito mais gente.

E, se tudo isso falhar, você ainda pode cantar. Se resolver cantar, evite interpretações do tipo "rock pauleira" – cante alguma coisa leve, suave e repousante. Se você não sabe letras de músicas, invente – o bebê não vai perceber. Na verdade, você pode cantar qualquer canção que conheça, desde que cante lentamente, baixinho e com uma melodia agradável. Balance o corpo para a frente e para trás, no ritmo da música, e marque o compasso 4/4 no bumbum do bebê.

Essa estratégia para controlar o choro exige muita paciência. Também nunca é demais um pouco de senso de humor. O problema que nós, homens, temos, como sempre diz minha mãe, é que:

Paciência é uma virtude que não se tem quando quer.
Nunca se encontra no homem, sempre se vê na mulher.

OK, mãe, obrigado. O que é que eu posso dizer? Boa sorte, meu amigo. Um dia, quando seu bebê tiver 17 anos e lhe pedir o carro ou perguntar sobre anticoncepcionais, você vai olhar para trás e pensar: "como foram fáceis aqueles primeiros tempos".

Com certeza, a maioria de nós consegue lidar com bebês que choram se o dia está lindo, os passarinhos cantam e nós estamos bem descansados e acordados.

A verdadeira prova de fogo é à noite, quando você quer dormir.

Ao longo dos anos, ditadores e carcereiros vêm aperfeiçoando seus métodos de tortura. Eles usam ferros quentes, torniquetes, choques elétricos, a *Canção de Ninar*, de Brahms, e projetam filmes de Kevin Costner para conseguir que suas vítimas implorem por misericórdia. Mas há um tipo de tortura que é o mais usado e o mais eficaz de todos.

A privação de sono.

Prive um homem de sono e você o verá passar por uma transformação do tipo "o médico e o monstro" de proporções épicas. Um homem tranquilo e cujo comportamento é sempre previsível pode rapidamente se transformar em um sujeito de pavio curto, olhos vidrados, resfolegante e depois em uma fera irracional, agitada e raivosa. Subitamente, sua vida se torna um caos. Mal barbeado e malvestido, ele se torna agressivo com os colegas de trabalho e dorme no emprego. Já não consegue formar frases coerentes. Sente como se suas pálpebras fossem feitas de chumbo.

O problema é que os bebês não se guiam pelo relógio nem pelo sol. Eles ainda não têm noção de regras socioculturais relativas a "horários adequados" para fazer isto ou aquilo. A consequência imediata é que eles acordam várias vezes durante a noite e exigem atenção: precisam comer, arrotar, ter as fraldas trocadas e ser ninados até dormirem novamente. Para completar, é bem provável que ele queira chorar um bocado. E, quando um bebê resolve aprontar na calada da noite, parece que um 747 está decolando de sua sala.

Não estou falando simplesmente de acordar uma vez, por alguns minutos, no meio da noite. Conheço um casal que apelidou o filho de "Berrante". Ele só dormia quatro horas por dia!

Glup! Uau! Como é? Creio ter ouvido você chorar. Quatro horas? Você disse quatro horas? Isso não é humano! Você tem razão. É desumano. Mas essa não é a pior parte. Esse bebê não dormia quatro horas seguidas. Esse era o total acumulado. As quatro horas eram a soma de vários cochilos de vinte minutos. Pense nisso e você começará a perceber o impacto que o bebê pode ter na vida familiar.

É claro que estou pintando um quadro um tanto pessimista. Seu bebê pode ser, ao contrário, um tremendo dorminhoco – talvez ele durma dezoito horas por dia. O choro dele pode ser apenas um gemido quase inaudível. Talvez você tenha o que se chama, no jargão dos pais, "um bebê bonzinho". Se esse for o caso, considere-se um cara de sorte.

Brahms era um sádico...

Até onde eu sabia, o pai dormia um sono normal e toda a sequência noturna do tipo acordar-levantar-passear-pela-casa-com-o-bebê-no-colo-morrendo-de-frio era, definitivamente, uma função materna. Mas lembre-se de que você é um pai moderno, participativo. Lembre-se de que, mesmo que sua mulher fique em casa, ela também trabalha o dia inteiro e nunca tem um momento de descanso, longe do bebê, e precisa suportar o choro o tempo todo.

Então, como é que *você* poderá ajudar quando o bebê começar a treinar seus dotes operísticos às 2 da manhã?

Quando Rachael nasceu, eu achei que tinha uma boa desculpa para escapar da atividade noturna. Minha lógica era que, como eu não era devidamente aparelhado – ou seja, não tinha um par de seios cheios de leite –, eu não tinha utilidade alguma e, portanto, podia virar para o lado e continuar dormindo. O que aconteceu foi que minha mulher se transformou, gradativamente, em um zumbi, com grandes olheiras e um olhar fixo e distante, e só conseguia emitir monossílabos.

Essa abordagem do tipo "Não é problema meu" definitivamente não é recomendável. (Devo dizer, em minha defesa, que eu *tentei* ajudar. Sempre que Meredith se levantava para ir amamentar, eu rolava para o lado dela da cama a fim de mantê-lo aquecido.)

Quando Georgia nasceu, eu estava cheio de sentimento de culpa e jurei que dividiria o trabalho meio a meio com minha mulher. Sempre que ela se levantava, eu também me levantava, ligava o fogo e preparava um chocolate quente para ficar fazendo companhia a ela. Isso surtiu dois efeitos imediatos. O primeiro é que minha presença e a minha voz impediam Georgia de dormir, por isso nós acabávamos ficando acordados muito mais tempo do que o necessário. Em segundo lugar, ambos viramos zumbis, com olheiras e olhares fixos, somente capazes de emitir monossílabos. E, de fato, é constrangedor cair no sono na mesa de trabalho, na sala cheia de alunos e acordar, de repente, babando e com todos olhando para você.

> LEMBRE-SE DE QUE VOCÊ É UM PAI MODERNO, PORTANTO A ABORDAGEM "NÃO É PROBLEMA MEU" DEFINITIVAMENTE NÃO É RECOMENDÁVEL.

Por isso, a postura do "vamos compartilhar o sofrimento" tampouco é adequada.

Então, qual é a resposta?

Desculpem o lugar-comum, mas a solução é o equilíbrio entre essas duas atitudes. Não é bom que uma pessoa só faça todo o trabalho, mas também não adianta ficarem os dois aguentando tudo, juntos. Como eu já disse, a criação dos filhos é um trabalho de equipe, portanto as responsabilidades devem ser partilhadas tanto quanto possível. Se o bebê mama no peito, seja o mensageiro que vai buscar o bebê no berço e trazê-lo para a mamãe, na cama. Vocês podem se revezar nas tarefas de colocar o bebê para arrotar e niná-lo até ele dormir. Essa estratégia funcionou bem quando tivemos Matilda. Meredith ainda era responsável por alimentá-la, mas eu tentava ajudar com a questão de arrotar, ninar e trocar fraldas. E, quando não for seu turno, o melhor que você tem a fazer é dormir.

Mas a verdade, nua e crua, é que eu dificilmente conseguia alcançar as metas grandiosas que havia traçado para mim mesmo. Se você realmente divide a carga com sua mulher meio a meio, então você é mesmo um sujeito melhor do que eu. O fato é que, na maioria dos casos, nossas mulheres ainda têm que carregar a maior parte do piano.

Conversar e dividir as tarefas são, realmente, o segredo para se lidar com essa fase da vida do bebê. Quando sua mulher estiver saturada, incentive-a a ir ao cinema, sair para caminhar ou visitar amigas. E, se você estiver saturado, tenha o bom senso de aceitar que precisa de um descanso. Nos meus tempos SF (sem filhos), sempre que tinha um momento de folga, eu me ocupava tocando violão, lendo ou fazendo musculação. Nos tempos CF (com filhos), com um bebê em casa, minha atividade favorita passou a ser colocar meu sono em dia.

É fácil falar em diálogo e divisão de responsabilidades – como se essas fossem as soluções para todos os nossos problemas noturnos. A realidade de acordar no meio da noite com o bebê chorando pode ser um tanto diferente. E agora preciso alertá-lo a respeito de uma outra coisa.

Andar pela casa, no meio da noite, com o bebê chorando no colo pode ser uma experiência muito frustrante. Nesse horário, é mais difícil suportar o choro, porque tudo está silencioso e os gritos do bebê parecem ainda mais estridentes. Está escuro, não há movimento à sua volta e você tem a impressão de ser a única pessoa acordada na face da Terra. A sensação de solidão e isolamento é ainda maior porque, quase sempre, a única companhia que você tem na madrugada é a dos apresentadores de programas de compras pela TV que mostram aparelhos para ginástica, churrasqueiras que tiram a gordura dos alimentos e óculos de sol indestrutíveis. É mais do que suficiente para deixar qualquer pessoa maluca.

Em pouco tempo, você verá que é muito fácil perder a paciência. Eu havia lido livros sobre isso, mas, como sou um sujeito maduro e bem ajustado, sabia que isso não seria um problema para mim. Certo?

Errado.

Aconteceu comigo, uma noite, quando eu estava participando do famoso jogo do "colocar Georgia de volta no berço, para dormir, depois da mamada da meia-noite". Todas as noites, Meredith e eu jogávamos esse jogo. Naquela noite, era minha vez. Eu estava lá, em pé, junto do berço, com ela no colo, tentando fazê-la dormir (Georgia, é claro, não Meredith). Logo eu estava lutando para manter meus olhos abertos e, em pouco tempo, já estava encostado na parede, murmurando uma canção de ninar incompreensível. Antes que eu desse por mim, fui escorregando e me vi no chão, encolhido, seminu, morrendo de frio.

Depois do que me pareceram horas, mas provavelmente foram apenas minutos, Georgia adormeceu. Então, eu tive que passar pela agonia de tentar colocá-la no berço e tirar meu braço de baixo dela sem acordá-la, o que equivale à sensação ilustrada nos filmes de ação por um agente secreto pingando de suor que precisa remover com todo o cuidado um objeto qualquer eletrônico, incrivelmente sensível, de dentro de uma redoma de metal – se ele respirar um pouco mais forte, seu braço irá tremer e um alarme luminoso começará a piscar e, dentro de dez segundos, haverá uma explosão nuclear que destruirá tudo em um raio de 20 quilômetros.

Missão cumprida, levei, acredito, uns vinte minutos para vencer a distância até o meu quarto, caminhando de leve, nas pontas dos pés, como um mestre de kung fu andando sobre papel de seda. Quando eu estava quase chegando ao calor aconchegante do meu quarto, pisei em uma tábua solta do piso que rangeu. Georgia acordou, chorando.

Ela havia acabado de mamar, portanto não era fome.

A fralda fora trocada, portanto ela não estava molhada.

Ela estava bem enroladinha no cobertor, então não era frio.

Voltei lá e comecei a balançar de leve o berço. Ou seja, eu estava fazendo tudo como manda o figurino. Mas ela chorava como se eu a estivesse queimando com ferro em brasa. Comecei a cantar. E a balançar o berço. Cantar e balançar.

Isso sempre funcionava, mas não funcionou daquela vez.

Comecei a ficar irritado. Estava escuro. Eu estava cansado. Tudo o que eu havia feito certinho, para acalmá-la, dera errado. O choro era ensurdecedor. Meus pés estavam gelados. Meus olhos ardiam. Comecei a balançar o berço com força. Não funcionou.

De repente, comecei a sentir como se houvesse um vulcão de frustração prestes a irromper dentro de mim. Eu queria chacoalhar o berço, correr para fora da casa, arrancar árvores pela raiz e esmagar carros blindados com as mãos, como se eu fosse o Incrível Hulk. Eu estava perdendo o controle. Em algum lugar, lá no fundo do meu cérebro, um alarme soou. Saí do quarto, fui até o banheiro e lavei o rosto. Respirei fundo algumas vezes. Então levei Georgia para a sala, liguei a TV e o aquecedor e recomecei a rotina de ninar. A sala quente e iluminada me acordou e me fez sentir um pouco melhor e, principalmente, me ajudou a suportar melhor a dificuldade.

> TALVEZ VOCÊ PASSE PELA FRUSTRAÇÃO DE NÃO CONSEGUIR ACALMAR SEU BEBÊ QUANDO ELE ACORDAR CHORANDO DE MADRUGADA. MAS TENHA CALMA, HÁ MEIOS DE CONTORNAR O PROBLEMA.

Você deve estar preparado para essa frustração noturna. Ela é real. Mas há meios de contornar o problema. Pode ser ouvindo uma boa música e tomando um café ou um chá. Conheço um casal que costumava colocar o bebê na cadeirinha do carro e sair para passear. O barulho e o ritmo do motor do carro acalmavam o bebê e o faziam dormir. (Só tenha cuidado para não dormir, você também, ao volante.) Outro casal de amigos levantava, colocava o bebê no *sling* e começava a passar aspirador na casa. O ruído abafava o choro, a casa ficava limpa e o bebê acabava se acalmando com o ritmo do motor. O que mais você poderia querer?

Se você sentir que as coisas estão escapando do seu controle, coloque o bebê no berço de modo que ele não possa se machucar e volte para sua cama ou tome um bom banho de chuveiro. Se a situação for muito ruim, não tenha receio de ligar para um amigo ou parente prestativo e pedir que venha lhe prestar socorro. Até mesmo uma ligação para um desses serviços de ajuda psicológica, às 3 da manhã, pode levantar seu moral.

Obviamente, tudo depende de seu bebê – se ele é dorminhoco ou chorão – e de como você e sua mulher lidam com a privação de sono. Mas sua atitude deve ser de oferecer ajuda. Façam um rodízio entre vocês para cuidarem do bebê e conversem sobre a melhor solução para o caso.

E boa sorte, amigo. Você vai precisar.

MORTE SÚBITA

Na Austrália, uma vez por ano, algo estranho acontece. Ao se dirigir ao trabalho ou às compras, você percebe que as pessoas estão usando narizes vermelhos de plástico. Até os ônibus, prédios de repartições públicas e monumentos estão decorados com narizes vermelhos gigantescos. Não se trata de uma homenagem a Bozo, o palhaço, mas sim de uma campanha popular de conscientização e arrecadação de fundos para combate à SMSI - Síndrome da Morte Súbita Infantil.

A definição acadêmica de SMSI, divulgada em 2004 no Workshop Australiano de Patologia da SMSI, é:

Morte súbita e inesperada de um lactente, antes de completar 1 ano de idade, sendo que o episódio letal aparentemente ocorre durante o sono e permanece inexplicado mesmo após rigorosa investigação, incluindo autópsia completa, análise das circunstâncias da morte e história clínica.

Em termos leigos, o que isso significa é que alguns bebês morrem durante o sono e ninguém sabe por quê.

A SMSI é uma forma muito comum de morte de bebês de 1 mês a 1 ano de idade, sendo que 80% dos casos ocorrem entre 1 e 6 meses. Na Austrália, pesquisas médicas intensivas aliadas a campanhas públicas de conscientização em grande escala, empreendidas desde 1991, quando foi lançado no país o Programa de Redução do Risco de SMSI, resultaram em queda de 70% no número de casos. Embora os números ainda sejam trágicos, a incidência atual de morte súbita na infância caiu para aproximadamente 1:2000. [*]

Embora ninguém saiba o que causa a SMSI, as pesquisas indicam que certas medidas práticas podem diminuir o risco de ocorrência desse problema. É bom que você conheça essas medidas e certamente vale a pena você ler um pouco mais sobre o assunto. Além de várias páginas de internet que fornecem informações detalhadas e aconselhamento, maiores dúvidas podem ser esclarecidas nos cursos de parto, hospitais e centros de atendimento materno-infantil.

E o que você pode fazer para reduzir o risco de morte súbita para seu bebê?

Em primeiro lugar, o bebê deve dormir de barriga para cima, nunca de lado ou de bruços, em um berço espaçoso, sem objetos como cobertores elétricos, mamadeiras com água, travesseiros, bichos de pelúcia, almofadas, edredons, colchas, lençóis soltos ou brinquedos espalhados.

O bebê deve ser acomodado no berço, com as cobertas bem presas nas laterais e o rosto livre. O ideal é usar um saco de dormir do tamanho certo para o bebê. Os pés do bebê devem estar encostados na barra do pé da cama, para evitar que ele se desloque para baixo e se enfie sob as cobertas.

O fumo tem estreita correlação com a SMSI. Os bebês de pais fumantes têm risco 20 a 40 vezes maior de morrerem dessa forma,

---

[*] Para mais informações sobre SMSI no Brasil, consultar a Sociedade Brasileira de Pediatria (www.sbp.com.br).

comparados aos bebês de pais não fumantes. Portanto, se você fuma, agora é o momento ideal para largar.

> ALGUMAS MEDIDAS PODEM DIMINUIR O RISCO DE MORTE SÚBITA, E É IMPORTANTE QUE VOCÊ SAIBA BEM QUAIS SÃO ELAS.

Se você vai contratar uma babá para ficar com seu filho, verifique se ela está a par de tudo isso. Converse também com a avó – talvez as coisas no tempo dela fossem diferentes e ela não esteja tão atualizada quanto você acerca da SMSI. ("Ouça, querido, eu sempre o colocava para dormir de bruços, no seu berço cheio de ursinhos e seus travesseiros favoritos, e você adorava!")

NÃO ALIMENTE OS ANIMAIS

Se você colocar o dedo na boca do seu bebê, vai notar que ele se parece mais com um peixinho do que com um tigre. Ele não tem dentes. Mas ele não ficará assim para sempre. Por volta dos 6 meses, a primeira dessas vinte pequenas coisinhas brancas e afiadas vai achar o caminho para fora da gengiva do bebê. São os primeiros dentinhos, que seu filho vai ter até por volta dos 6 anos.

O nascimento dos primeiros dentes tem várias consequências imediatas:

- Seu bebê vai começar a babar. Um rio de saliva vai escorrer continuamente, da boca até o umbigo, dando ao bebê uma aparência úmida e brilhante.
- Seu bebê vai sentir um grande desconforto. Ele poderá ficar queixoso e infeliz e talvez tenha dificuldade para dormir.
- Se ele ainda estiver mamando no peito, você vai ouvir sua mulher gritar, de vez em quando, se o bebê atacar o mamilo com seu instinto carnívoro.

- As fraldas do bebê vão ter um conteúdo de consistência tão nojenta e um odor tão sufocante que você vai preferir estar morto em vez de trocar essas fraldas.
- Se o bebê mordê-lo, vai doer.

Bem, tudo isso faz parte da ordem natural das coisas, porque o bebê recém-nascido só se alimenta de leite e, portanto, não precisa de dentes. Mas, durante o primeiro ano de vida, o bebê vai começar sua jornada em direção à comida de verdade. Esse processo se chama desmame – a quantidade de leite que ele toma vai diminuindo e os alimentos sólidos vão sendo gradualmente introduzidos na dieta.

(Usei o termo "sólidos" de modo bem genérico. Para mim, um sólido é um filé, uma salada Cesar com batata palha e umas fatias crocantes de bacon para acompanhar. Mas, para os fabricantes de alimentos infantis, um sólido é uma banana que foi batida no liquidificador por uma hora.)

Atualmente, os médicos recomendam que o bebê seja alimentado exclusivamente com leite materno nos primeiros seis meses de vida, e só depois comece o desmame. Mas esse processo não acontecerá da noite para o dia, e sim gradativamente. Deixe-se guiar pelo bebê – se ele mostrar interesse pelos alimentos, ou se estiver ganhando peso como deveria, ou se já tiver completado 6 meses de idade, comece a introduzir a dieta sólida. No início, ofereça apenas uma ou duas colheres de chá de cada novo alimento, uma vez por dia, nas primeiras semanas, e depois vá aumentando aos poucos. Esses primeiros alimentos sólidos devem ser leves, úmidos e pastosos, como mingau,

> MESMO DEPOIS QUE O BEBÊ COMPLETA 6 MESES, O LEITE AINDA DEVE CONTINUAR SENDO O PRINCIPAL ALIMENTO DELE.

purê de frutas, gelatina ou legumes passados na peneira. Não dê uma quantidade muito grande de cada vez. O leite materno ainda deverá ser o principal alimento do bebê, mesmo depois dos 6 meses. Além disso, os novos alimentos devem ser introduzidos gradualmente na dieta, um de cada vez, testando a aceitação do bebê por dois ou três dias e verificando se não surgem sinais de alergia, antes de começar com outro alimento novo.

Nessa época da primeira dentição, você pode dar ao bebê bolachas duras, que ajudam a aliviar o incômodo da gengiva e afiar os dentinhos que estão nascendo.

Equipado com os dentinhos, seu bebê poderá começar a receber alimentos de consistência mais firme. Você pode colocar o jantar dele no liquidificador e preparar para ele um autêntico estrogonofe. Mais adiante, poderá dar a ele pedaços de pão, queijo, peixe (sem espinhas), frango, legumes, hambúrguer, frutas... Na verdade, quase tudo o que você come ele poderá comer também, exceto frango indiano apimentado, *chili* com carne ou *burritos* com *jalapeño*.

Um dos problemas da introdução dos alimentos sólidos é que os bebês gostam de fazer experiências com a comida. Essas experiências são, geralmente, do tipo colocar a comida na boca, mastigar, cuspir, pegar a comida, esfregar na roupa, jogar um pouco em você, passar a comida pelo cabelo e depois devolver para a boca. Não fique muito preocupado se só uma pequena quantidade de comida acabar ficando na boca de seu bebê. Pesquisas acadêmicas recentes mostraram que os bebês se nutrem, na verdade, por um processo de osmose, no qual as vitaminas e os minerais dos alimentos passam diretamente através da pele.

O problema é que esse processo tende a gerar certa desordem. Por isso, o único local seguro para alimentar um bebê é um abrigo antinuclear onde tudo é feito por robôs. Mas, considerando que provavelmente sua casa não tem esse tipo de instalação, você poderá alimentar seu bebê no chão da cozinha ou sobre uma toalha de plástico. Mesmo assim, ainda poderá encontrar pedaços de comida grudados no teto ou na parede do lado oposto do ambiente.

Para proteger as roupas do bebê, muitas pessoas lançam mão de babadores. São itens baratos, o que significa que cada um de seus amigos vai comprar dez pacotes e lhe trazer de presente e que você vai precisar de uma armário inteiro só para guardá-los. (Os babadores, não os amigos.) Mas babadores são muito peculiares – não funcionam. Os bebês conseguem enfiar comida na manga da roupa, no cano da meia, e não vai ter um pedacinho de pano com coelhinhos pintados que vai impedi-los. Por isso, você não só terá que lavar as roupas do bebê (o que você teria que fazer, de qualquer modo), mas também precisará lavar centenas de babadores, o que aumentará em 200% o volume de roupa suja.

A única indumentária capaz de proteger as roupas do bebê é uma roupa de mergulho ou um avental antirradiação.

FRALDAS

Para muitos homens, a perspectiva de ser pai é assustadora. Eles ficam nervosos com as mudanças impressionantes e novas responsabilidades que acompanham a vida familiar. Há que se considerar, ainda, a pressão orçamentária, a mudança radical do cronograma diário, as noites em claro e as novas tarefas domésticas. E, se você for do tipo exageradamente obsessivo, perguntas como "Que escola secundária será melhor para minha filha?", "E se meu filho bater o carro?" e "Qual será a opção mais econômica para a festa de casamento de minha filha?" logo começarão a rondar a sua mente.

Mas, para a maioria dos homens, há uma coisa mais apavorante que todas essas preocupações juntas.

Pior do que um filme de terror.

Matéria-prima dos piores pesadelos.

São as fraldas.

Fraldas nojentas. Fraldas fedorentas.

Umas doze por dia... Com sorte.

Fraldas são coisas realmente incríveis. Como as formigas, os bebês podem levar, dentro das fraldas, um peso cem vezes maior do que o do próprio corpo. Isso é assustador, porque significa que é preciso trocar a fralda.

No clássico *Três Solteirões e Um Bebê*, quando Tom Selleck se vê frente ao desafio de ter que trocar outra fralda, ele oferece ao amigo Steve Guttenburg uma recompensa de mil dólares para assumir o lugar dele.

É claro que essa cena é muito engraçada. Hahaha. Mas você logo irá descobrir que a tentativa de suborno de Selleck é bem compreensível – alguns até diriam que seria um bom negócio.

Você vai ver que não é divertido trocar fraldas, não é como fazer algo de que você goste, como tomar um bom vinho, por exemplo. Eu descobri essa verdade há muitos anos, quando passei uns dias na casa de um amigo, pai de um bebê de 6 meses. Eu era "virgem de fraldas" e nunca havia passado pela experiência de assistir a uma troca de fraldas em três dimensões, com efeitos especiais olfativos e tudo. Depois de testemunhar o evento, nunca mais quis passar por aquilo. Entrei em estado de "choque de fralda", também conhecido no jargão dos psicólogos como "síndrome de estresse pós-traumático por fralda". Fiquei prostrado, sentado nos degraus da frente da casa do meu amigo, suando, ávido por um pouco de ar puro.

Ele riu de mim e disse: "Tudo bem, cara. É sempre muito ruim quando é a fralda do filho dos outros. Eu não conseguiria trocar nenhum outro bebê que não fosse o meu. Mas, quando você tiver os seus filhos, não se preocupe..."

Fiquei muito tranquilo com essas palavras, apesar de que elas se revelaram uma grande mentira. No que me diz respeito, fraldas são fraldas, não importa de quem sejam.

Muitos anos depois, quando minha mulher já estava grávida, outro amigo me disse que trocar a fralda de um bebê recém-nascido era como "caminhar entre rosas". Essa também foi uma mentira. Nunca cheirei uma rosa que me causasse ânsia de vômito.

E não adianta pensar que você vai conseguir passar pelos primeiros tempos de vida de seu bebê sem ter de trocar fraldas.

Impossível. Estamos no século 21 e, se você quiser vivenciar a paternidade em toda sua glória, precisará "botar a mão na massa" (e, acredite, quando você trocar uma fralda suja, vai realmente botar a mão na massa). Ser pai é mais do que curtir todos os momentos divertidos, como brincar com os filhos no quintal ou ensinar coisas a eles. Trocar fraldas, ao contrário do que muitos pensam, não é um passatempo típico das mães. Nos primeiros anos de vida, o bebê usa milhares de fraldas, o que significa várias centenas de quilos de dejetos sólidos. Seu inteligente plano para achar um jeito de não estar presente no momento da troca de fralda simplesmente não vai funcionar. Portanto, nada de escapulir.

Minhas primeiras fraldas foram memoráveis.

Eu sempre me orgulhei de meu sangue-frio e de meu estômago de aço. Afinal, eu tenho um diploma de primeiros socorros e assisti a todos os filmes do Schwarzenegger. Mas eu tremi na base quando tive que trocar a primeira fralda. Na verdade, tive ânsias de vômito. Naquele momento, eu não sabia, mas aquela foi a primeira de uma longa série de episódios de peristaltismo reverso na presença das Fraldas do Inferno.

Nos primeiros dias de vida do bebê, as fraldas contêm uma massa nojenta, verde-escura, grudenta, fedorenta, chamada mecônio (imagine piche). É o resultado da digestão daquela gosma que ele engoliu dentro do útero. (Eca! Já estou nauseado só de pensar!) Não deixe que essa coisa toque em sua pele, porque ela não desgruda.

Depois que o intestino do bebê estiver limpo e o leite materno começar a fluir por dentro dele, as fraldas vão melhorar bastante, pelo menos em termos relativos. Nos primeiros meses, o bebê produz um volume inimaginável de fezes líquidas ou úmidas, escorregadias, pastosas, do tipo que se pode esperar como resultado de uma dieta puramente líquida. (Se o mecônio parece piche, podem-se descrever as fraldas de leite como um molho encaroçado.)

Mas, quando o bebê começa a comer alimentos sólidos (especialmente carne), aí você vai ficar realmente encrencado. Porque vai ter que lidar com fezes sólidas, malcheirosas, moldadas em formas romboides que ficam encaixadas no espaço virtual entre o bumbum do bebê e a fralda. Esse cocô tem uma composição química tão peculiar que até ganhou um espaço na tabela periódica: Excrécio 113 (símbolo: Ex), cujo peso atômico é 272,03.

Embora seja difícil no começo, depois você se acostuma. Como eu sou veterano, já tenho experiência com três bebês, hoje sou capaz de trocar a fralda mais radioativa com as mãos nuas – no escuro –, embora essa não seja exatamente uma boa ideia.

> LIDAR COM FRALDAS SUJAS É BEM DIFÍCIL NO COMEÇO, MAS DEPOIS VOCÊ SE ACOSTUMA.

Para limpar o bumbum do bebê, use lenços umedecidos ou bolas de algodão e água para retirar a matéria viscosa que estiver espalhada na pele. Alguns pedaços vão exigir uma fricção mais enérgica, porque, se você demora um pouco mais para trocar a fralda, alguns fragmentos de cocô secam e endurecem como cimento. Se a pele do bumbum estiver vermelha e irritada, você pode aplicar alguma pomada que impeça o contato com a umidade ou um creme cicatrizante para aliviar a irritação e evitar que ela se agrave.

Finalmente, aí vão duas dicas para quando você precisar trocar fraldas.

REGRA Nº 1: A FRALDA NUNCA DEVE SE SOLTAR DO BEBÊ, EM HIPÓTESE ALGUMA

Uma fralda mal colocada pode se soltar em qualquer momento, de livre e espontânea vontade. Se o bebê for um pouquinho maior, ele também pode descobrir como arrancá-la. Use fita isolante, solda, cola SuperBonder®, o que você quiser, mas prenda bem a fralda. Se você não fizer isso, seu bebê vai usar aquela pasta para decorar as paredes... Ou fazer algo pior. Acredite. Não é fácil criar laços afetivos com um bebê que está cheio de cocô em volta da boca.

É realmente difícil criar laços...

REGRA Nº 2: PRENDA A RESPIRAÇÃO AO TROCAR A FRALDA

Os vapores que emanam das fraldas são tóxicos. Na verdade, os cientistas da NASA usam vapores de fraldas para simular a atmosfera de Marte no programa de treinamento de astronautas. Se você, por acidente, inalar uma quantidade desse vapor sem máscara de proteção, poderá perder os sentidos e cair desmaiado.

Para exercer seu papel de trocador de fraldas, você tem, basicamente, cinco opções:

Opção 1: Fraldas descartáveis

As organizações ambientalistas dizem que as fraldas descartáveis têm a mesma meia-vida que o lixo tóxico. Isso não surpreende se considerarmos que as fraldas *contêm*, de fato, algo quimicamente equivalente a lixo tóxico. Elas ainda estarão intactas e letais, na lata de lixo, quando seus filhos já estiverem começando a criar filhos. Portanto, se você é ecológico, não use fraldas descartáveis.

Além disso, os bebês gastam fraldas com uma rapidez vertiginosa. No começo, serão mais ou menos 12 fraldas por dia, o que vai lhe custar um bom dinheiro, especialmente se você considerar que o bebê vai usar fraldas por uns dois anos. E se o lixo de sua casa só for coletado uma vez por semana, logo você terá um conflito conjugal motivado pela questão de "quem vai colocar o lixo lá fora?", já que haverá um efeito "sauna" de seu latão de lixo sobre aqueles 70 embrulhinhos que você foi colocando lá dentro. E os lixeiros provavelmente também irão odiá-lo.

Alguns pais também não gostam do cheiro e da textura sintética de certas fraldas descartáveis.

E, caso você esteja pensando que é fácil comprar fraldas descartáveis, pode esquecer. Existe mais variedade de fraldas do que de ração para cachorro – todas com características projetadas por computador, codificadas por cores, diferenciadas por sexo, cientificamente comprovadas, para levar o bumbum do seu bebê ao próximo milênio. Há fraldas descartáveis para recém-nascidos, lactentes, bebês que engatinham, que andam, que falam, para meninos, para meninas e até fraldas seguras para nadar na piscina – não infláveis.

Obviamente, por definição, as fraldas descartáveis são... *descartáveis*. É esse o principal atrativo delas. Elas podem ser caras, mas são práticas e rápidas de usar. Quando ficam sujas, a atitude mais responsável e higiênica é jogar o conteúdo nojento no vaso sanitário antes de descartar a fralda. (Aquilo não deveria ir para a lata de lixo, mas sim para o esgoto.) Depois, você simplesmente embrulha a fralda e joga fora. Essa é uma vantagem, principalmente se vocês resolverem passar o dia fora com o bebê e não querem ficar carregando um saco plástico com lama fermentativa no interior. Portanto, se você não for filosoficamente contrário a fraldas não biodegradáveis e se você tem uma conta bancária bem recheada, vá em frente e use fraldas descartáveis.

Opção 2: Fraldas de pano

Isso mesmo, aquelas que a sua mãe usava em você.

Alguns pais acham que fraldas de pano são trabalhosas e complicadas. Outros gostam da textura e do cheiro do tecido de algodão e consideram que essa é uma alternativa mais natural do que as fraldas descartáveis.

Para começar, você precisa comprar dois baldes bem grandes, com tampa, umas quarenta fraldas e algumas calcinhas plásticas. Depois de esvaziar o conteúdo da fralda, jogue-a no balde, para ficar de molho em solução esterilizante. (Como esses produtos são antissépticos, eles não são particularmente favoráveis ao meio ambiente, portanto, se a sua casa tem fossa, é melhor não esvaziar o balde diretamente no ralo do tanque.) Depois de uma noite de molho, você pode colocar as fraldas na lavadora de roupa, acrescentando um bom sabão em pó. Se você colocar as fraldas para secar ao sol, até as manchas mais renitentes serão branqueadas. Parece um processo complexo e demorado, mas depois que você monta um sistema e ele funciona, na verdade fica bem simples.

Até recentemente, as fraldas de pano eram fixadas com grandes alfinetes de segurança. Era um pesadelo, sobretudo quando o alfinete vencia a resistência do tecido e, subitamente, entrava com toda a força embaixo da sua unha. ("Infecção? Vou lhe dizer o que é infecção!")

Felizmente, algum cérebro privilegiado inventou um clipe de três pontas que faz a mesma coisa que o alfinete – é o *"snappy"*, que se tornou muito popular por ser muito mais fácil, rápido de usar e não provocar o risco de perfuração e dor. Isto é, desde que você não pise em um deles com o pé descalço.

Opção 3: O combo fralda

Não, não se trata de um novo lanche em oferta na lanchonete da esquina. ("Gostaria de uma sobremesa com sua fralda, senhor?") Muitas pessoas preferem uma combinação de fraldas descartáveis e de pano. Com isso, você tem o melhor de dois mundos: fraldas de pano durante o dia, dentro de casa, e fraldas descartáveis à noite e para sair.

Opção 4: Seu bebê ficar sem fralda

Infelizmente, os bebês não possuem as habilidades higiênicas que nós, adultos, desenvolvemos com o tempo. A consequência mais dramática desse fato é que, durante alguns anos, eles "fazem" *onde* querem, *quando* querem e fazem *muitas vezes*. Alguém precisa limpar tudo isso, porque, do contrário, seu filho irá comer tudo. Temos um casal de amigos (podemos dizer que são "telúricos") que decidiram não restringir o bebê e por isso não colocam fraldas nele. Eles queriam que o bebê se sentisse livre e não gostavam da ideia de ele ficar sentado sobre as próprias fezes. Bela teoria, mas o resumo da ópera é que o tapete e os estofados da casa deles ficaram em um estado de total deterioração e nós não temos mais ido visitá-los.

A Opção 4 é estúpida. Esqueça.

Qualquer que seja sua opção preferida, invista em um traje de trocador de fraldas. Macacão colante, tanque de oxigênio, máscara de soldador, luvas de ferreiro e uma colher de pau serão acessórios bastante úteis.

SPLISH SPLASH

Bebês precisam ser lavados. Se você não lavá-los, eles começarão a cheirar mal e você não vai gostar de tê-los por perto.

Se você está pensando que a opção mais fácil é usar a mangueira do quintal, saiba que essa prática é considerada, de modo geral, inaceitável, sobretudo no inverno. Uma alternativa prática é o chamado "meio banho", em que você limpa o rosto e o bumbum do bebê com uma toalha molhada. Se você decidir usar a mesma toalha para as duas extremidades, por favor lave primeiro o rosto.

Mas o fato é que, com frequência, você vai precisar dar banho no bebê. Isso pode ser feito no tanque ou na pia – desde que não haja torneiras muito salientes, cantos vivos de pedra ou água muito quente que jorra subitamente da torneira. Mas o ideal é usar uma banheira própria para bebês, apoiada sobre uma bancada firme ou no chão. Se você tiver bastante prática, poderá colocar o bebê na banheira grande, junto com você.

É preciso ter muito cuidado com a temperatura da água. O banho do bebê deve ser agradavelmente morno, não quente. É fácil causar uma queimadura por água quente no bebê. Ele não suporta a água quente como você, que pode tomar um delicioso e relaxante banho bem quente, cheio de vapor. (Se você levar o bebê para o banho com você, a temperatura da água deverá ser ajustada à temperatura do bebê, e não ao seu gosto.) Mas como colocar a água na temperatura certa? Alguns amigos meus usam um termômetro que fica flutuando na banheira e muda de cor se o banho estiver muito quente ou muito frio. Muita gente diz que a melhor maneira de testar a água é jogar um pouco no punho. Outros recomendam mergulhar o cotovelo na água. (Desde quando o cotovelo humano é considerado um ponto de alta sensibilidade? Meu cotovelo é tão grosso quanto um traseiro de elefante e tem a sensibilidade de um bastão de concreto. Eu descobri que

> TOME CUIDADO COM A TEMPERATURA DO BANHO, POIS BEBÊS PODEM FACILMENTE SE QUEIMAR COM ÁGUA QUENTE.

a melhor maneira é encher a banheira e mergulhar minha cabeça na água. Faz uma bagunça, mas eu logo aprendi a ajustar a temperatura certa!)

Nunca deixe o bebê sozinho na banheira, nem por um segundo. Todos os anos, ocorrem casos de afogamento de bebês porque a mamãe ou o papai foram correndo atender o telefone ou simplesmente se viraram um instante para pegar a toalha. (Tire o telefone do gancho e tenha tudo pronto, a seu alcance, antes de começar a dar banho no bebê.) Um bebê pode se afogar em apenas 4 centímetros de água e eles só precisam respirar uma vez sob a água para acontecer.

Portanto, lembre-se, mais uma vez, de *nunca deixar o bebê sozinho no banho*, nem por um segundo. Nos primeiros meses de vida do bebê, é importante se lembrar de sustentar bem a cabeça, porque o pescoço ainda não é firme.

Também é importante equipar a banheira e o local de vestir o bebê com tudo o que você precisa, antes de trazer o bebê para o banho. Dessa forma, você não precisará deixá-lo sozinho sobre o trocador para ir buscar isso ou aquilo.

Ao vestir o bebê, depois do banho, coloque primeiro a fralda, particularmente se for um menino. Os meninos têm um sistema de defesa instintivo, ligado ao pênis, que transforma esse órgão em uma mangueira de aspersão de urina de alta pressão. Essa mangueira tem trava própria e está sempre mirando seu rosto. Não diga que eu não avisei.

PASSEANDO POR AÍ

É duro ter uma vida social movimentada e ser pai, ao mesmo tempo. Considerando o ritmo de alimentação, sono e troca de fraldas do bebê, sair a passeio não é mais tão fácil quanto antes. Uma simples visita à casa de amigos ou uma saída às compras podem se transformar em verdadeiras epopeias. Um jogo de futebol à tarde, um cinema não planejado ou uma tarde velejando com sua mulher são impensáveis.

Isso não quer dizer que sua vida vai parar por completo; a situação é mais semelhante a uma reduzida, como quando você está dirigindo na estrada em declive. Sua agenda social terá de se ajustar às mudanças no ambiente doméstico. Mas você não precisa virar uma Rapunzel e se trancar na torre. A questão é apenas que sair com o bebê é um pouco mais complicado e requer um pouco mais de planejamento do que você estava habituado.

Na fase pré-filhos, sair era algo relativamente simples. Na maioria das vezes, você conseguia se organizar para estar com o pé fora de casa em poucos segundos. Era só pegar as chaves do carro, a carteira, pentear o cabelo – trinta segundos, e pronto. Agora não é mais assim. A operação Tempestade no Deserto foi mais fácil de coordenar e implementar do que a Operação Sair pela Porta da Frente – essa requer uma organização em grande escala.

O bebê precisa estar com a fralda trocada, vestido, agasalhado e, finalmente, seguro no colo. Isso reduz a pessoa que segura o bebê a um único braço. A bolsa do bebê precisa ter um cobertor, fraldas, sacos plásticos, mamadeiras, chupetas, cremes, gel, uma muda de roupas, bonequinhos ou bichinhos de pelúcia com guizos e assim por diante. A cadeirinha precisa ser ajustada ao banco de trás do carro e o carrinho precisa ser desmontado e colocado no porta-malas. O moisés precisa ser ajeitado e encaixado em algum espaço vazio porventura existente em seu veículo. (Aliás, a maioria das escolas técnicas oferece cursos de especialização em montagem de cadeirinhas de viagem.)

Uma vez estabelecidas todas as linhas de suprimento, deve-se considerar o plano de ataque. Por exemplo, se você estiver indo almoçar na casa de sua sogra, marque a saída de casa com meia hora de antecedência em relação ao normal. Dessa forma, você só perderá o primeiro prato. Porque, eu garanto, quando você estiver totalmente pronto para sair, seu bebê vai chorar com fome e vai ter que mamar.

Se for um evento grandioso, à noite – um lugar onde seu bebê não possa ir –, você precisa começar a planejar com várias semanas de antecedência. É preciso providenciar uma babá e, se o bebê estiver mamando no peito, deve haver um estoque de leite materno devidamente armazenado na geladeira.

Mais uma palavrinha sobre saídas e passeios. Muitos shoppings, restaurantes e aeroportos têm, atualmente, trocadores "unissex". Mas ainda é frequente você se ver atrapalhado porque o lugar aonde foi com o bebê tem o trocador dentro do banheiro feminino. Assim, se você estiver preso em um enorme shopping center dessa última categoria e seu bebê apresentar um caso grave de "fralda tóxica", você só terá duas opções:

Opção 1

Defenda seus direitos de pai moderno e entre, resoluto, no banheiro feminino. Se tiver sorte, você conseguirá trocar o bebê antes que alguém dê pela coisa. Se tiver azar, você vai levar uma surra de algumas senhoras e terá grande possibilidade de ser detido.

Opção 2

Abaixe-se, estenda um acolchoado no chão e troque a fralda do bebê no meio do corredor de uma loja de departamentos bem movimentada. Eu conheço um cara que faz isso, mesmo! É interessante observar como esse "terrorismo fraldal" logo começará a surtir efeito. Dependendo do estado da fralda, dentro de uma semana, serão chamados arquitetos e, um mês depois, uma multimilionária reforma estrutural terá sido concluída e você já poderá usar o novo e moderno trocador unissex da loja.

VAMOS BRINCAR?

Bebês dão muito trabalho. Mas é importante que você não fique tão envolvido com as tarefas e obrigações que o bebê requer a ponto de se esquecer de aproveitar os bons momentos com seu filho. Não deixe de reservar um tempo para brincar com ele, para que vocês possam se conhecer bem e criar laços.

E, quando você brincar com seu filho, faça isso com toda a atenção. Alguns pais parecem achar que "brincar" significa colocar o bebê sentado com ele, em frente à TV, para assistir a uma partida de futebol ou então despejar uma montanha de brinquedos caros em torno da criança. Até onde eu sei, o melhor brinquedo é você mesmo.

Brincar é algo que pode começar em qualquer momento. O que vocês vão fazer depende da idade do bebê. A brincadeira precisa ser apropriada para o nível do bebê, não para o seu. Por exemplo, bebês geralmente ficam em desvantagem em esportes de contato. As melhores sugestões que eu posso lhe dar são: seja criativo, dê muitas risadas, não faça nada que assuste o bebê e proteja sempre seus testículos.

Veja algumas sugestões:

Brincadeiras que os recém-nascidos adoram:
- olhar para o teto;
- uma boa massagem;
- um bom colo;
- olhar para você;
- ouvir você cantar para ele;
- ver você acenar para ele com bichinhos de pelúcia cheios de guizos.

> NÃO DEIXE DE RESERVAR UM TEMPO PARA BRINCAR COM SEU BEBÊ, PARA QUE VOCÊS POSSAM SE CONHECER BEM E CRIAR LAÇOS.

Brincadeiras que os bebês maiores adoram:
- mastigar (bolachas, bananas, telefones celulares);
- fazer caretas;
- dar gritinhos bobos;
- rolar no chão ou na cama;
- abraços e beijos;
- babar no papai;
- urinar no papai;
- vomitar no papai;
- fazer cavalinho em seus joelhos;
- bater palmas e cantar;
- esconde-esconde;
- beijinhos e sopros na barriga;

- cócegas;
- brinquedos que fazem barulho e livros coloridos;
- passear no carrinho ou enganchados nas costas do pai;
- novamente, massagens.

Brincadeiras que não agradam aos bebês:
- brinquedos adequados para crianças;
- ver a realidade na TV;
- *squash*;
- programação de computador;
- canoagem;
- montanha-russa;
- rapel;
- jogos de tabuleiro;
- livros adultos de ficção sem figuras.

Passe bons momentos com seu filho desde o primeiro dia. Mantenha contato físico com ele. Abrace-o, pegue nas mãozinhas do bebê, afague a cabeça. Tocar e massagear o bebê são gestos importantes para que ele cresça saudável e se sinta amado. Vá para um local sossegado e bem aquecido e massageie os braços e as pernas do bebê, as mãos e os pés, as costas e a barriga, usando um pouco de óleo infantil.

Cante para seu bebê. Fale com ele. Faça com que ele ouça a sua voz. Mas, por favor, não fale nem cante para o bebê no idioma que você acha que é o dele. Não entendo por que os adultos insistem em fazer isso. A ciência já comprovou que, mediante o estímulo adequado, bebês de 3 meses não só conseguem falar, mas são capazes de conduzir uma conversação bem decente. Infelizmente, a maioria não faz isso porque não consegue entender o que os adultos estão dizendo.

Ou seja, você aprenderia a falar se a única coisa que você ouvisse fosse "tchu-tchu-tchu do papá. Duduzinho qué naná? Tchutchuquinha tilido do papá. Zuzuzu..."?

Não admira que os bebês levem anos para se desenvolverem.

Como eu me interesso muito por música, sempre achei que cantar para minhas filhas era um passatempo prazeroso e que fazia sucesso. Mas atenção! Muitas canções infantis foram compostas por pessoas com graves problemas. Você já parou para pensar na letra de "Atirei o pau no gato"? Que ideia estranha, tentar acalmar o bebê e fazê-lo dormir falando sobre uma tentativa de assassinato de um animal cujo berro, perfeitamente cabível nas circunstâncias, surpreende uma senhora que, decerto, achava que o gato deveria receber com estoicismo e discrição a maldosa paulada.

Além disso, muitas canções tradicionais não fazem sentido para nós, seres do século 21. Por exemplo, que pai de bom senso cantaria isto para o seu filho?

Boi, boi, boi,
Boi da cara preta
Pegue esse menino
Que tem medo de careta.

Bicho papão,
Sai de cima do telhado.
Deixa o meu bebê
Dormir sossegado.

Uma alternativa é você compor suas músicas. Eu sempre uso melodias conhecidas e coloco uma letra de minha autoria. Lembre-se de que, para o bebê, não importa *o que* você canta, mas sim *como* você canta.

Por exemplo, você pode usar a melodia da tradicional "Fui no Itororó" e cantar:

Eu fui lá no mercado
Comprar fralda pro nenê
Depois tomei sorvete
E passei no jornaleiro

A bolsa está pesada
Não consigo carregar
Então peguei um táxi
E em casa vim parar.

Ou então esta versão bem futurista de "Nana, nenê":
Nana, nenê
Papai tem que sair
Vai trabalhar na Lua
E a nave vai partir.

ANIME-SE!

Quando Rachael veio para casa, eu estava preparado para ser aquele pai brincalhão, como os que eu via nos comerciais de TV. Passeios no parque, rolar no tapete, jogar o bebê para o alto, rir muito, muita diversão, beijinhos na barriga, cócegas e caretas. Tudo muito interessante, mas logo eu descobri que bebês recém-nascidos tendem a ser muito parados.

Algumas pessoas diriam até que eles são tediosos.

Recém-nascidos, na verdade, só executam quatro funções básicas, que eles repetem com uma regularidade monótona:
- eles dormem (por volta de dezesseis horas por dia, a menos que sejam do tipo "chorão");
- eles choram (muito, quando não estão dormindo);
- eles tomam leite (eles querem chorar, mas a boca está cheia);
- eles enchem fraldas (o tempo todo).

No começo, eu fiquei um pouco desapontado porque meus acampamentos no quintal, minhas preleções de pai e meus malabarismos teriam que esperar até que Rachael alcançasse uma fase mais madura de seu desenvolvimento. Mas, quando eu estava lá no fundo de meu desespero, algo fantástico aconteceu.

Eu não sou meloso nem sentimental por natureza. Mas um dia, logo depois de chegar em casa, Rachael envolveu meu dedo com sua mãozinha diminuta e o apertou como se estivesse ordenhando uma vaca.

Aquele gesto tão simples foi um raio de luz que me fez perceber que eu fazia parte do processo de crescimento de uma pessoinha. Naquela fase, ela realmente não fazia nada além de dormir, chorar, mamar e sujar a fralda, como era esperado, mas subitamente eu percebi que, nos próximos meses, eu a veria crescer, mudar e se desenvolver. Ela aprenderia a me reconhecer. Eu veria seus primeiros passos. Ouviria suas primeiras palavras.

E foi exatamente isso o que aconteceu comigo, três vezes.

Como eu disse, não sou exatamente um sujeito meloso ou sentimental, mas, quando se trata de bebês, todo dia nos traz algo de novo. É mesmo emocionante participar da vida e do crescimento de nosso filho. Mas não espere demais de uma só vez. Muitos pais de primeira viagem passam muito tempo mirando o bebê, com as câmeras a postos, esperando que a próxima etapa do desenvolvimento se manifeste. E, assim que o bebê faz o movimento desejado, eles batem a foto e a enviam por e-mail a todos os amigos. Quando o filho de 1 ano bate nas teclas do piano com a mãozinha fechada, eles dizem: "Você ouviu isso? Você ouviu? É a Quinta de Beethoven! É um prodígio o meu filho!"

Eu caí nessa armadilha. Um dia, quando Rachael tinha entre 2 e 3 meses, ela estava deitada de bruços e teve um espasmo da perninha – algo comum nos bebês – e seu corpo foi para a frente uns 2 centímetros.

No dia seguinte, eu disse a alguns colegas no trabalho que Rachael já sabia engatinhar, embora só tivesse dois meses. Eles olharam para mim com expressões de tolerância e condescendência, típicas de pais experientes. Estava escrito na testa deles que eu era um "pai de primeira viagem com expectativas ridiculamente elevadas".

Crescer é um processo lento e árduo. Seu bebê não vai fazer tudo da noite para o dia. Mas a questão é que isso faz parte do encanto.

> CRESCER É UM PROCESSO LENTO E ÁRDUO. SEU BEBÊ NÃO VAI FAZER TUDO DA NOITE PARA O DIA. E ISSO FAZ PARTE DO ENCANTO.

Em suma, o que exatamente você pode esperar e quando? Veja a seguir um guia resumido das etapas do desenvolvimento do bebê. Mas lembre-se de que eu não sou médico, nem psicólogo infantil, nem nada parecido. A lista que você vai ler não é exatamente o resultado de alguma análise empírica especializada, mas sim um resumo do que eu aprendi observando bebês no parquinho.

Com menos de 1 mês, seu bebê poderá:
- chorar, mamar, vomitar, fazer cocô, dormir (repetir várias vezes a sequência);
- ser uma gotinha no carpete;
- ganhar bichinhos de pelúcia e babadores dos seus amigos.

Aos 3 meses, seu bebê poderá:
- sorrir;
- sacudir um chocalho;
- brincar com as mãos;
- começar a levantar a cabeça;
- reagir a você.

Aos 6 meses, seu bebê poderá:
- começar a ter dentinhos;
- mordê-lo com os dentinhos;
- produzir "fraldas de dentição", as piores que você jamais verá;
- usar as mãos para apanhar coisas nojentas;

- usar as mãos para colocar coisas nojentas na boca;
- alimentar-se de outras coisas além de leite materno;
- fazer barulhinhos e cantarolar sozinho;
- sentar por alguns segundos sem cair para o lado e bater a cabeça no chão.

Aos 9 meses, seu bebê poderá:
- sentar-se sozinho;
- ficar em pé segurando nos móveis;
- engatinhar;
- não calar a boca.

Aos 12 meses, seu bebê poderá:
- reconhecer o nome;
- comer com as mãos;
- tirar a fralda e comer tudo o que encontrar dentro dela;
- caminhar com andador;
- tropeçar no andador e bater a cabeça na parede;
- morder muito você;
- fazer birra em locais públicos.

Aos 15 meses, seu filho poderá:
- começar a falar as primeiras palavras (isto é, se você considerar que dizer "Totó! Totó!" é falar);
- correr pela casa em alta velocidade e tropeçar em tudo;
- provar da comida do seu prato;
- ter brinquedos e livrinhos favoritos;
- entrar em lugares onde não deve;
- acenar "sim" e "não" com a cabeça e dar "tchau" com a mão;
- ter sapatos mais caros que os seus.

Aos 18 meses, seu filho poderá:
- apontar para as coisas que quiser;

- exigir sua atenção o tempo todo;
- entender comandos simples, como "não!" e "agarre!";
- quebrar objetos muito valiosos;
- contrair doenças misteriosas que o deixarão muito preocupado;
- levar meia hora para ser vestido;
- jogar coisas importantes na privada e dar descarga.

Aos 24 meses, seu filho poderá:
- usar a privada de adulto, com ajuda;
- usar a colher;
- brincar sozinho;
- ter um vocabulário básico e construir frases simples;
- adorar comida de lanchonete.

Aos 30 meses, seu filho poderá:
- fazer perguntas que você não pode responder, como:
  Onde fica o mundo?
  R: Aqui.
  Por que é vermelho?
  R: Por causa da absorção das luzes.
  Por que eu não sou uma árvore?;
  R: Acho que você é, sim!
- pedalar um triciclo;
- saber cantar os jingles de todos os comerciais irritantes da TV.

Aos 36 meses, seu filho poderá:
- ler algumas palavras;
- aparecer em seu quarto todas as noites;
- operar complexos dispositivos domésticos de controle remoto;
- distinguir alimentos de que não gosta;

- conversar com estranhos no supermercado, dizendo coisas, como:
  Você é gordo!
  Cadê seu cabelo?
  Você tem pênis? Meu pai tem.

Aos 108 meses, seu filho poderá:
- começar a pedir uma mesada maior;
- querer um cavalo ou uma bateria de presente de Natal;
- querer todos os brindes que estiverem distribuindo no parque de diversões;
- falar seu primeiro palavrão.

Aos 144 meses, seu filho poderá:
- querer colocar um piercing na orelha;
- querer um celular só dele;
- ter o celular cancelado porque gastou mais de 500 reais de chamadas em um mês;
- conseguir correr mais rápido que você.

Aos 180 meses, seu filho poderá:
- trazer em casa seu primeiro amor, que você não vai aprovar;
- querer colocar piercings no umbigo, na sobrancelha ou no nariz;
- passar horas no banheiro;
- fazer sua conta telefônica triplicar.

Aos 216 meses, seu filho poderá:
- ver filmes pornográficos;
- chegar em casa às 2 da madrugada e ficar de castigo por dez anos;
- tomar bebida alcoólica legalmente;
- querer pegar seu carro emprestado.

Aos 252 meses, seu filho poderá:
- estar ganhando mais que você;
- ter um filho.

É isso mesmo: à medida que eles crescem, as coisas ficam cada vez melhores. E, assim como ocorre com um bom vinho, você terá cada vez mais prazer com eles.

Aliás, um detalhe: as crianças nunca demonstram suas novas habilidades para estranhos. Eles são como Mr. Ed, o cavalo falante. Mr. Ed conversava o dia inteiro com Wilbur, mas no instante em que alguém entrava no estábulo ele se transformava novamente em um cavalo comum.

Seu filho pode saber bater palmas ou brincar de esconde-esconde. Ele pode saber ficar de ponta-cabeça ou discutir questões ambientais em outra língua. Ele pode saber cantar ópera ou executar complexas funções matemáticas enquanto faz sapateado. Mas, no momento em que chegam as visitas na sua casa, ele volta a ser um bebê. Você pede a ele que faça coisas, ele fica olhando para você com cara de bobo e os seus amigos acham que você é um idiota.

Portanto, quando você tiver convidados em casa, nunca diga "Bebê... venha cá... isso, isso... venha cá, meu garoto! Diga à titia qual é a raiz quadrada de nove!"

O bebê vai olhar para você e, invariavelmente, vai responder "Totó!".

"Ora, vamos lá, você sabe a resposta... por favor", você já vai começando a implorar.

"DADÁ!"

Mas não tenha dúvida de que, assim que a titia sair pela porta, o bebê vai balbuciar: "três".

UMA CASA SEGURA

Quando as coisas tiverem acalmado um pouco e vocês dois – você e sua mulher – estiverem começando a se acostumar com a ideia de ter um bebê em casa, será o momento de pensar em mais algumas alterações necessárias.

Como eu já mencionei, recém-nascidos não se movimentam muito sozinhos. Com exceção de quando você os coloca no trocador, eles tendem a ficar deitados onde você os deixa, como tartarugas que viraram de costas. Portanto, eles não têm grande impacto sobre o arranjo do ambiente doméstico. Entretanto, nos meses seguintes, o bebê aprenderá a rastejar e engatinhar. Certos bebês têm uma velocidade de fazer inveja a um guepardo perseguindo sua presa. Você larga deles um segundo... e tudo o que você consegue ver é o rastro de cheiro da fralda pelo corredor.

O problema é que essa mobilidade recém-conquistada permite que o bebê tenha acesso a todos os tipos de fantásticos perigos existentes na casa. Bebês são naturalmente curiosos, mas não têm absolutamente nenhum senso de risco. Por isso, é muito importante que sua casa seja transformada em um local seguro, "à prova de bebês".

Eis algumas ideias:

- Escadas, janelas, varandas, piscinas, laguinhos e aquários devem ficar protegidos. Cercas, gradis e balaustradas devem ter varetas verticais inseridas entre as traves principais para evitar que o corpinho se esgueire no intervalo ou escale a grade. Você deve instalar pequenos portões nas duas extremidades das escadas, para evitar acrobacias desavisadas.
- Todas as tomadas baixas devem ser seladas com plugues plásticos para evitar que bebês eletricistas façam experimentos letais. Procure também deixar todos os benjamins e quadros de força protegidos, fora do alcance da criança. Certifique-se de que sua casa tenha uma chave elétrica geral de segurança que corte toda a força em fração de segundo caso o bebê introduza um garfo em uma tomada ou puxe um secador de cabelos mal posicionado para dentro da banheira. (Novamente, lembro que, se você fez o dever de casa direitinho, não deveria haver um secador de cabelos ao alcance da criança.) Nossa casa é antiga,

mas não foi muito caro comprar e instalar esse tipo de chave. Mesmo sem considerar o bebê, ela salvou minha vida várias vezes. (É sério. Eu não sabia que a torradeira estava ligada.) Esse é um investimento absolutamente essencial.

- Todos os produtos e objetos perigosos da casa (produtos de limpeza, sprays, pós, medicamentos, facas, DVDs do Michael Jackson, etc.) devem ficar em gavetas altas ou em armários trancados. Isso se aplica, particularmente, à cozinha, ao banheiro e à lavanderia. Toda semana, na Austrália, cerca de 50 crianças vão parar no hospital porque engoliram algo que não deviam. Existem vários dispositivos de fácil instalação que você pode comprar facilmente em lojas de materiais para a casa e que evitam que isso aconteça – de cabides de parede a cadeados eletrônicos com segredos de seis dígitos. Esse tipo de mecanismo deverá afastar seu filho do perigo por dois ou três dias. Lembre-se de colocar o veneno contra baratas ou as ratoeiras em local inacessível à criança e lembre-se de que seu filho alcança locais mais altos do que ele. Eu aprendi uma dura lição sobre isso quando Rachael escovou os dentes, um dia, com um barbeador descartável que eu pensei que estivesse "fora de alcance".
- Se houver água por perto, não tire os olhos de seu filho nem por um instante. Se o telefone tocar enquanto você dá banho nele, leve-o com você para atender ou deixe tocar. Sempre coloque a tampa no balde onde as fraldas de pano ficam de molho e mantenha o balde em uma área inacessível. Quando acabar de usá-lo, esvazie-o e guarde-o emborcado.
- Prenda bem prateleiras soltas, gavetas ou armários. Crianças são mestres em subir nas coisas, mas esse comportamento de King Kong pode levá-las a situações catastróficas, se o peso delas for suficiente para virar uma peça do mobiliário.
- Nunca deixe os cabos de panelas virados para fora do fogão, nem fios de aparelhos soltos, pendurados, em lugar algum.

Para uma criança, um fio pendurado é um convite, um cipó no qual ela vai tentar se pendurar como Tarzan. O problema é que, na outra ponta desse fio, há um ferro de passar roupa, ou uma torradeira, ou uma chaleira elétrica. Você pode imaginar o resto da história.

- Afaste da criança tudo o que queima, inclusive aquecedores e fornos. Se puder, use roupas de algodão ou outras fibras naturais em seu filho, pois elas são mais resistentes ao fogo do que materiais sintéticos. Também mantenha fósforos sempre longe da criança. Se ela não conseguir acendê-los, certamente irá comê-los ou enfiá-los no nariz.

> BEBÊS SÃO CURIOSOS E NÃO TÊM NENHUM SENSO DE RISCO. POR ISSO, É IMPORTANTE TRANSFORMAR A CASA NUM LOCAL "À PROVA DE BEBÊS".

- Não deixe sacolas plásticas espalhadas pela casa nem deixe que seu filho coloque botões, nozes ou avelãs, moedas, olhos de bonecas ou bichos de pelúcia na boca. Eles podem sufocar.

- Não deixe cordas de persianas ou cordões de cortinas soltos próximos do berço ou de locais onde seu filho brinca, pois poderão se enroscar no pescoço da criança.

- Instale tudo o que tem valor para você – especialmente aparelhos eletroeletrônicos – suspenso no teto por cabos ou apenas acessível com escada. Se você já viu o estrago que um prato de espaguete faz no equipamento de DVD, deve saber do que eu estou falando.

- Se você tem em casa um ventilador de teto muito baixo, tenha muito, muito cuidado. É fácil esquecer que ele está lá, girando, e quando o titio resolve brincar de nave espacial com o bebê... Bem, você pode imaginar o que acontece.

Mesmo depois de ter feito tudo isso e algumas coisas mais que você teve a ideia de fazer, ainda há mais uma coisa necessária. Pode parecer estranho, mas é a maneira mais efetiva de saber até que ponto sua casa é segura. Veja como funciona.

Primeiro, fique em posição de gatinho no chão e finja que você é uma criança curiosa.

Depois, engatinhe pela casa, de um cômodo para outro, e veja quanto dano você conseguiria causar às coisas que estiverem a seu alcance. Veja se você consegue encontrar CDs para mastigar ou algum enfeite frágil para destruir.

Em seguida, continue engatinhando pela casa e veja quanto dano você poderá fazer a si mesmo. Procure encontrar locais onde você consegue subir e de onde poderia pular, além de coisas perigosas para colocar na boca. Você vai ficar surpreso com suas descobertas.

Há mais uma coisa que você precisa ter sempre em mente. Não tem a ver com a segurança de sua casa, propriamente dita, em relação ao bebê – a menos que você viva em uma estufa, naturalmente –, mas é algo de importância vital.

A pele do bebê é mil vezes mais sensível que seu couro curtido. A destruição da camada de ozônio e a vida em locais ensolarados não são favoráveis, nesse sentido. O bebê pode se queimar facilmente, mesmo em um dia nublado. Portanto, nunca deixe o bebê se bronzeando. (Na verdade, ninguém deveria ficar se bronzeando.) Esse aspecto é particularmente importante quando você vai à praia com seu filho. Evite a exposição ao sol, especialmente por volta do meio-dia, e sempre use filtro solar na criança, com fator de proteção, no mínimo, 30, além de camiseta e boné ou chapéu. Você até pode colocar óculos de sol, desses que cobrem a lateral do rosto, em seu filho. E lembre-se de usar um anteparo refletor no vidro do carro para que o sol não cozinhe o bebê na cadeirinha. Logicamente, você deve cobrir um vidro *lateral* do carro, não o para-brisa *dianteiro*, pois só assim você terá visibilidade para dirigir.

CÃES E GATOS

Um casal de amigos nossos passou, recentemente, por um dilema. Eles tinham dois cachorros enormes que haviam criado desde que eram filhotes. Os cães eram os guardiões e senhores da casa e eram tratados e considerados quase como filhos.

Mas aquilo teria que mudar, porque agora meus amigos tinham um bebê. Alguns dos privilégios caninos, obviamente, teriam que ser cortados. Então, enquanto a mãe e o bebê estavam sossegados na maternidade, o pai brilhante resolveu aplicar uma estratégia para dessensibilizar os cães em relação ao bebê.

Eu me lembro de que estávamos sentados na sala da casa deles, antes do retorno triunfal do bebê. Meu amigo fez os cães se sentarem na frente dele e abriu um saco plástico cheio de fraldas sujas que ele havia trazido do hospital. Esfregou, então, o focinho dos cães com as fraldas, repetindo várias vezes o nome do bebê: "*Anna, Anna, Anna...*"

Algo não me caía bem. Os olhos dos cães brilhavam um pouco demais para meu gosto. Eu só conseguia pensar em um antigo filme em preto e branco, no qual um lorde britânico jogava a seus mastins sanguinários uma peça de roupa de um preso foragido. Eles a cheiraram e rosnaram e, em seguida, saíram a galope pela pradaria para caçar o homem e fazê-lo em pedaços.

Bichos de estimação podem ficar com ciúme...

Talvez não fosse uma ideia tão boa assim, afinal de contas...

Há pessoas que adoram cães. Há pessoas que adoram gatos. Há pessoas que adoram tamanduás. Eu não sou exatamente ligado a animais. Tive um cão, quando era criança, e era eu quem o alimentava, o que significava abrir latas de comida para cães, e isso eu detestava. Jurei que não teria nenhum cachorro quando fosse adulto. Acabei comprando alguns hamsters para as meninas, mas eles eram criaturas tímidas, ridículas e bobas, que morriam de medo de trovoadas.

> ANIMAIS DE ESTIMAÇÃO PODEM SENTIR CIÚMES DO BEBÊ, PORTANTO É PRECISO FAZÊ-LOS ACEITAR O NOVO MEMBRO DA FAMÍLIA.

Se você tem um animal de estimação, precisa pensar seriamente nas implicações de trazer um novo membro da família para casa.

O maior problema dos animais de estimação é que eles podem se tornar ciumentos. Um cão de grande porte pode comer o bebê antes que você consiga se dar conta do que aconteceu, particularmente se tem nome como Killer e usa coleira do tipo enforcador. Há relatos de gatos que atacaram bebês recém-nascidos colocando a cauda na boca da criança até sufocá-la com o pelo. Até uma salamandra pode tentar matar o bebê espalhando gosma sobre ele. Nem preciso mencionar as jiboias.

Até onde eu sei, só existem alguns animais de estimação que você pode conservar quando passa a ter um bebê em casa. Periquitos ficam na gaiola, por isso não podem voar e rasgar a garganta do bebê com as unhas. Hamsters são simplesmente bobos. Se você tem peixinhos, provavelmente não haverá problemas. Eles não são perigosos, a menos que seu filho tente engolir um deles. Mas também há o risco de afogamento, por isso certifique-se de que o aquário fique em local inacessível.

Para falar a verdade, cavalos talvez sejam interessantes também, desde que você não os deixe entrar no quarto do bebê.

LEMBRE-SE: VOCÊS SÃO UM CASAL

Você e sua mulher costumavam ser um casal. Agora vocês são uma família.

Vocês formavam um par; agora são um trio.

Vocês jogavam tênis juntos. Agora vocês são quase um time de basquete.

A questão é a seguinte: ter um bebê em casa muda seu relacionamento com sua mulher. Isso acontece porque vocês já não passam tanto tempo juntos quanto antes. Vocês costumavam sair para jantar e caminhar, costumavam assistir a filmes juntos e ter conversas íntimas, e costumavam fazer todas as coisas que casais normais fazem. Vocês tinham tempo para investir na manutenção e no crescimento de sua relação.

Mas isso foi antes do bebê. Com certeza, há muita coisa que vocês ainda podem fazer, porém não é mais tão fácil. A ameaça ao relacionamento se traduz bem nas palavras de um antigo poema que estudei na escola: *No time. No time. Too much to do.* (Sem tempo. Sem tempo. Há muito a fazer.) O bebê precisa mamar. As compras precisam ser feitas. É preciso trocar a fralda. As roupinhas do bebê precisam ser lavadas. É preciso ninar o bebê. É preciso limpar a casa. O bebê tem que tomar banho. Alguém tem que fazer o jantar. Tem louça de três dias para lavar.

O problema é que você e sua mulher podem acabar correndo de um lado para outro, ocupados com as tarefas da casa e do bebê, e, de repente, você acorda e não sabe mais quem é aquela pessoa que está a seu lado na cama. Ela lhe parece familiar... É mesmo! Foi a mulher com quem você se casou!

Se você não tomar cuidado, seu relacionamento irá por água abaixo. Conheço casais que depois de vários anos, quando os filhos crescem e saem de casa, descobrem, com tristeza, que já não se conhecem mais. Ficaram tão ocupados criando os filhos que se esqueceram de ser marido e mulher.

Isso é trágico.

A mensagem é: *lembre-se de ser um bom marido*.

Não negligencie sua mulher.

Vocês dois precisam fazer uma tentativa consciente de passarem algum tempo juntos, sozinhos. Tomem um café juntos, tentem fazer uma refeição, só vocês dois. Demorem um pouco na cama antes de se levantarem pela manhã. Mais adiante, vocês poderão estender esse tempo. Talvez vocês consigam ver um filme, jogar uma partida de tênis, caminhar ou nadar juntos.

> VOCÊ SE TORNOU PAI, MAS NÃO DEIXOU DE SER MARIDO. CUIDE DO SEU CASAMENTO, OU ELE CORRERÁ RISCOS DE IR POR ÁGUA ABAIXO.

Seu relacionamento com sua mulher é muito importante. Não se esqueça disso. E não decida que o Dia das Mães é o único dia do ano em que ela merece algo especial. O Dia das Mães é um conceito cretino, promovido pelos lojistas para ganharem muito dinheiro rapidamente. Esqueça os chocolates e as flores. A melhor forma de demonstrar seu apreço é com palavras e atos. Agrade sua mulher com um jantar feito por você ou uma boa limpeza no banheiro. Fique com o bebê para que ela possa sair e fazer o que quiser fazer. Diga que você a ama e que vai fazer aquilo de passar óleo na cúpula do abajur.

UM POUCO MAIS SOBRE SEXO

Muitos pais de primeira viagem percebem que o sexo ficou relegado àquela parte do cérebro chamada "memória remota". Segundo algumas estatísticas, quase todas as mães e 50% dos pais têm menos interesse por sexo no período pós-parto.

O problema, no entanto, é que nada é capaz de abater mais o ego do marido que uma mulher sem interesse por sexo. Por isso, é fácil você se ressentir porque nada é mais como antes. Você pode começar a se ressentir do bebê, porque, se não fosse por ele ficar chorando, chorando, chorando, o tempo todo a sua vida sexual seria ótima, ótima, ótima. Você pode começar a ficar com ciúme de toda a atenção que sua mulher agora dedica ao bebê e que antes ela dedicava a você.

No entanto, se você considerar que a mãe geralmente fica exausta de trabalhar sem parar vinte e quatro horas por dia, na verdade é perfeitamente compreensível que sua mulher não esteja mais tão interessada em você. A última coisa de que ela necessita é de outra maratona física e emocional na cama. Ela precisa dormir.

Uma amiga me contou, certa vez, uma história de horror sobre "uma amiga de uma amiga" que acabara de ter o primeiro filho. Ela ficou em um quarto duplo, na maternidade, e o marido de sua companheira de quarto chegou à maternidade logo após o nascimento do filho e fez sexo com a mulher.

Histórias como essa me causam arrepios. Como isso teria acontecido com uma conhecida de uma amiga de uma amiga, suspeito de que seja uma lenda urbana, semelhante à do gato no forno de micro-ondas, do fantasma que pede carona, do assassino no teto do carro e da verdadeira liquidação de loja de departamentos.

Mas, se realmente existem homens desse tipo no mundo, eu me sinto envergonhado de pertencer ao sexo masculino. Acho que o sujeito deve ter uma testa inclinada e cicatrizes nos joelhos e cotovelos por rastejar no chão. Esse tipo de comportamento é típico de um homem de Neanderthal e totalmente imperdoável.

Depois de ver o que acontece com o corpo de sua mulher no parto, especialmente se ela precisa de uma cesariana ou de uma episiotomia, estou seguro de que você entenderá por que sua mulher prefere ficar sozinha a ter você se esfregando nela. Além disso, a conformação do corpo dela depois do parto e o volume dos seios não deixam que ela se sinta exatamente uma Afrodite. Dizem também que as rachaduras dos mamilos não favorecem a excitação sexual. Se você não consegue entender isso, passe uma lixa de madeira com bastante força nos seus peitorais e depois veja como fica seu erotismo.

Quando você começar a ser um pai participativo, acordando à noite, trocando fraldas, dando banho no bebê, provavelmente terá um vislumbre do motivo de sua mulher não estar tão interessada em sexo. Por enquanto, vamos voltar para aquela historinha do guarda-chuva e do pênis. Pense nela. Imagine alguém esticando tanto seu pênis que você possa coçar seu nariz com ele. Imagine que alguém está fazendo coisas inimagináveis com sua bolsa escrotal e um triturador. Imagine que você está urinando uma alcachofra. Tenho certeza de que, depois disso, você não estaria disposto a uma noitada de sexo. E também não gostaria se sua mulher começasse a se esfregar em você e tentasse excitá-lo.

Portanto, deixe que sua mulher o avise quando estiver na hora de vocês entrarem (desculpe a associação infame) novamente no mundo das relações sexuais.

Pode ter certeza de que não é apenas a recuperação de sua mulher do trauma físico do parto o que está inibindo sua vida sexual. É também o fato de vocês dois estarem permanentemente exaustos e só com muita sorte conseguirem ter um minuto a sós. E há também o fato, pouco reconhecido, de o bebê ter uma ligação psíquica com a mãe, o que significa que ele é capaz de detectar qualquer sinal de excitação ou atividade sexual dentro de um raio de cem metros. Isso desencadeia, imediatamente, o choro do bebê no momento crucial – se é que você me entende.

QUANDO VOCÊ PERDER O PÉ

Ninguém espera que você ou sua mulher sejam, instantaneamente, experts em criar filhos. Mesmo que você tenha lido muito e falado com outros pais experientes, sempre haverá um momento em que você sentirá que "perdeu o pé" e não tem certeza de que as coisas estão caminhando como deveriam.

Seu bebê pode não dormir bem. Pode parecer pálido ou tossir o tempo todo. Pode chorar constantemente sem motivo aparente.

Pode não mamar bem no peito da mãe. Podem surgir manchas ou feridas na pele dele.

Às vezes, você precisa de assistência ou orientação prática. Mas as pessoas, muitas vezes, querem dar conselhos quando você não precisa ou não quer recebê-los. Subitamente, todo mundo vira especialista e sabe exatamente como resolver seus problemas paternos.

Se qualquer pessoa que não tenha filhos tentar lhe dar conselhos, ignore. Essas pessoas não sabem do que estão falando. Se elas insistirem, peça a elas que troquem a fralda do bebê. Isso fará com que calem a boca.

Se estranhos no supermercado tentarem lhe dar conselhos, finja ser estrangeiro e não compreender a língua que eles falam.

Com a família, a coisa é um pouco diferente. Afinal, seus pais o criaram e deu tudo certo. Mas lembre-se de que sua mãe colocava manteiga em suas queimaduras e seu pai ainda chama o seu caríssimo equipamento de som de *vitrola*.

Minha avó sempre parece ter ótimas ideias, mas como confiar em uma mulher que acha que tripa de porco com torradas é muito gostoso no café da manhã?

Hospitais, centros de saúde materno-infantil e postos de saúde, além de seu médico, são boas opções para buscar orientação. Além disso, existem várias entidades que auxiliam pais de primeira viagem, bem como (bons) sites de internet, principalmente os que são mantidos por instituições universitárias ou pela Sociedade de Pediatria de sua região.

> SE TIVER DÚVIDAS E DIFICULDADES PARA RESOLVER PROBLEMAS RELACIONADOS AO BEBÊ, NÃO HESITE EM BUSCAR AJUDA DE ESPECIALISTAS.

Não hesite em buscar ajuda desses especialistas. Muitas pessoas fazem isso. Estabelecer bons padrões de sono, por exemplo, é realmente importante, mas pode ser difícil e frustrante sem orientação adequada. Essa orientação pode vir na forma de um contato telefônico, uma consulta ou uma visita domiciliar. Em nosso caso, tivemos problemas com Rachael, pois ela chorava muito à noite. Então, Meredith passou alguns dias em um centro de apoio para mães e bebês e o resultado foi excelente. As enfermeiras a incentivaram e garantiram que ela estava fazendo tudo certo. Deram conselhos práticos e a ensinaram a lidar com o problema. Isso tudo fez uma grande diferença.

Não tenha receio de pedir ajuda!

O SEGREDO DE SER PAI

Já citei, neste livro, uma passagem de um filme de Ron Howard:

Sabe... é preciso ter licença pra comprar um cachorro, licença para dirigir um carro. Puxa, é preciso ter licença até para pescar. Mas deixam qualquer cretino ser pai.

Quero encerrar o livro também com essas palavras.

Fiz quatro anos de faculdade para me tornar professor de escola secundária. Quatro anos assistindo a aulas, seminários e práticas de ensino. Quatro anos estudando até tarde, tomando café extraforte e escrevendo redações e trabalhos absurdamente longos. Quatro anos fazendo pesquisas, analisando trabalhos de especialistas em livros gigantescos escondidos nos mais recônditos lugares do labirinto da biblioteca.

Tudo isso valeu a pena. Ao término desses quatro anos, eu estava pronto para revolucionar o mundo da educação. Eu sabia tudo o que precisava saber. Eu era expert em políticas educacionais, psicologia infantil, desenvolvimento curricular, gerenciamento de tempo e análise literária. Eu havia feito meu dever de casa e estava pronto para assumir o papel que eu recebera por direito divino: o de *superprofessor*.

Com minha pasta novinha em folha, saí da universidade diretamente para um emprego em uma escola particular. No fim de um longo período de férias de verão, eu me apresentei para meu primeiro dia de trabalho com um novo corte de cabelo, pós-universitário, e um novo terno. Eu tinha a cabeça erguida, porque saíra da faculdade com notas muito boas e uma menção honrosa. Eu sabia que, por isso, ganharia imediato respeito na sala dos professores e teria garantida a obediência de todos os alunos pelo resto de minha vida. Eu podia ser instantaneamente reconhecido como um expert. Dali para a frente, tudo seria um mar de águas calmas. Tudo fácil.

Até que conheci Graham.

Graham era meu chefe de departamento, um sujeito que parecia ter se esquecido de sair de dentro das roupas antes de jogá-las na secadora para uma boa chacoalhada. Nunca me esquecerei de nosso primeiro encontro. Ele me fez sentar em sua salinha e, com um trejeito teatral, disse: "Bem-vindo à realidade. Você passou quatro anos com o nariz empinado e a cabeça nas nuvens em alguma torre de marfim educacional. Agora precisa voltar à Terra. Esqueça a maior parte do que aprendeu na faculdade. É tudo besteira. Entre na sala de aula, mantenha o controle sobre eles, ensine alguma coisa e saia de lá vivo. É isso. Alguma pergunta?"

Eu fiquei chocado, para dizer o mínimo. Esse cara não tinha visto meu currículo? Não sabia quem eu era? Não sabia que eu havia lido todos os livros e bebido os conselhos dos maiores mestres acadêmicos? Eu havia sido um aluno modelo, pelo amor de Deus!

Mas, antes que eu pudesse protestar, ele já havia se levantado e estava saindo pela porta. E, lançando um rápido olhar para trás, disse: "Você vai aprender mais durante esta primeira semana sobre o que é ser professor do que aprendeu nos quatro anos enfiado em livros. Tenha um bom-dia."

Ele estava certo. No fim da primeira semana, eu percebi que, de fato, sabia muito pouco sobre ensinar. Eu me tornei um humilde amador e todas as noites, ao me deitar para dormir, totalmente exausto, eu pensava: *Por que ninguém me falou sobre isso? Por que eu não fui alertado?* Eu era um expert em teoria, mas a prática só viria com o tempo.

Alguns anos mais tarde, eu me tornei pai. Eu havia lido todos os livros, assistido a todas as aulas e navegado em todas as páginas de internet. Eu sabia todas as teorias e estava pronto para assumir meu outro papel, conquistado por direito divino: o de *superpai*. E aconteceu exatamente a mesma coisa. Eu aprendi mais na primeira semana de vida de Rachael do que nos nove meses de preparação.

Portanto, você pode ler todos os livros e todas as revistas sobre pais e filhos que encontrar na biblioteca de seu bairro. Pode assistir a todos os filmes sobre parto que tenham sido feitos. Pode perguntar aos médicos tudo o que quiser até eles não o aguentarem mais. Pode estudar todas as teorias atuais e frequentar cursos de parto até virar especialista. Na verdade, você tem, mesmo, a responsabilidade de fazer tudo isso.

Mas, ainda assim, será tudo muito "acadêmico". Será tudo conhecimento teórico.

E, agora que você está quase terminando este livro, vou lhe contar um segredo. Você está pronto? Vou escrever em negrito para que você não se esqueça. É o seguinte:

Nada é capaz de prepará-lo, de fato, para ser pai.

Espero não tê-lo desapontado, mas eu precisava dizer essa verdade nua e crua só no final do último capítulo. Do contrário, você não teria lido o livro todo.

Até vivenciar, realmente, a paternidade, em toda sua glória dolorosa e gratificante, você não saberá o que é ser pai, em 3D e som *dolby surround*. É preciso ter a experiência para entender e sentir completamente. Somente quando você sente seu bebê chutar na barriga é que a expectativa se torna eletrizante. Somente quando você assiste ao parto é que você entende o quanto é doloroso. Somente quando você ouve seu bebê chorar às 3 da madrugada é que você conhece o cansaço e o desespero. Somente quando você troca uma fralda pela primeira vez é que conhece o real significado da palavra náusea. Somente quando seu bebê diz "gh gh, da da da" depois que você o agasalhou bem à noite é que você sente aquela onda de emoção e orgulho por ser pai.

Mas tudo bem.

Você não está sozinho. Todo pai do mundo já passou por isso. Todo pai já ficou tão nervoso e inseguro e ansioso quanto você. E parece que a raça humana tem sobrevivido a isso sem problemas.

A ideia geral é que a paternidade é um processo de aprendizado. É um treinamento permanente, de altíssima importância. E é melhor você se acostumar, porque, antes que você se dê conta, sua mulher vai estar grávida outra vez. (E outra vez.) Quando você pensar que está na reta de chegada, vai descobrir que voltou para a largada e nem teve tempo de subir no pódio.

> ATÉ REALMENTE VIVENCIAR A PATERNIDADE, VOCÊ NÃO SABERÁ O QUE É SER PAI. É PRECISO PASSAR PELA EXPERIÊNCIA PARA ENTENDÊ-LA E SENTI-LA COMPLETAMENTE.

EPÍLOGO

Se eu tivesse que deixar uma mensagem para você, em vista do que vem pela frente em sua vida – seja qual for a etapa pela qual você esteja passando agora –, a mensagem seria:

Não desista.

Nem sempre as coisas saem como planejamos.

Ser pai nem sempre é fantástico e maravilhoso. Nem sempre significa mãos dadas, passeios de cavalinho e "Eu te amo, papai". Há períodos difíceis, trabalhosos, cansativos, em que você se sente irritado e desanimado.

> NÃO EXISTE PAI PERFEITO. O IMPORTANTE É QUE VOCÊ ESTEJA SEMPRE DISPOSTO A TENTAR DE NOVO SE ALGO ESTIVER INDO MAL OU CASO COMETA ERROS.

O importante não é ser um pai perfeito, porque isso não existe. O importante é, quando as coisas não parecerem tão boas – quando algo sair mal, quando você cometer erros –, tentar novamente.

Eu levei um bom tempo para aprender essa lição. Meu pai tentou me avisar, mas eu não o escutei.

Ele me disse que ser pai era como andar de bicicleta. No começo, eu não entendi. Andar de bicicleta é pedalar muito rápido, usando um macacão colante de lycra e estourar os joelhos. Ser pai, por outro lado, é trocar fraldas e nunca mais ter uma boa noite de sono.

Não me parecem coisas semelhantes.

Mas havia uma mensagem importante na metáfora de meu pai. Você não aprende a andar de bicicleta estudando os princípios do movimento circular, a relação entre as marchas ou o desenvolvimento dos músculos. Na realidade, você sobe na bicicleta, pedala com força, cai, levanta e repete o processo até que a parte em que você cai já não se repete com uma regularidade tão desanimadora.

Assim é ser pai.

Você tem que continuar pedalando. Tem que continuar tentando. Tem que subir de novo na bicicleta.

Então, agora você é pai de verdade, de um bebê de verdade. Você passou pela gravidez de sua mulher, sobreviveu ao parto e deu seus tropeços com o bebê em casa. Logo você estará acostumado a essa nova vida e começará a se sentir confortável e no controle da situação. Você vai se acostumar com a sua nova condição e olhar para trás e se perguntar por que tanto barulho por nada.

Até certo ponto, esse é o sentimento certo. Mas não se engane. Não comece a relaxar. Logo, logo o bebê aprenderá a andar e falar.

Logo ele será um... rapazinho.

É aí que o circo pega fogo. Porque, se você achava difícil cuidar de um bebê pequeno, espere só para ver.

Mas você pode aprender sobre essa etapa no livro seguinte, que eu escrevi, chamado *Dads, Toddlers and the Chicken Dance* (Pais, Filhos e a Dança da Galinha - tradução literal - ainda não publicado no Brasil).

Portanto, meus companheiros, parabéns por terem recebido a imensa responsabilidade e o tremendo privilégio de serem pais. Embora não pareça óbvio para vocês neste momento, essa é a coisa mais importante que vocês farão na vida. Espero que vocês aceitem essa incumbência e apreciem sua riqueza e seu valor. Aproveitem os bons momentos, atravessem as fases ruins e aprendam.

Espero que, de alguma forma, este livro tenha permitido a vocês vislumbrarem um pouco da dor, da frustração, do prazer, da alegria e até mesmo – por que não dizer? – da comédia que é ser pai. Espero ter ajudado a prepará-lo para essa jornada.

Eu costumava pensar que a jornada de um pai era bastante simples. Você seguia o caminho até chegar ao destino – ser um pai perfeito. Mas aprendi que, na verdade, a estrada é tortuosa e complexa, um labirinto. Às vezes, ela parece não chegar a parte alguma. E, quanto mais eu caminho nesse labirinto, mais percebo que não existe um destino final. Não existe saída. Nunca vou chegar a um local onde meu dever de pai termina. Vou seguir nesse caminho até o dia da minha morte. Até lá, vou me esforçar para manter um olho no caminho à frente e outro nas poças de lama.

Ocasionalmente, vou olhar para trás, para o lugar de onde eu vim, e perceber que ser pai me trouxe uma profunda satisfação e realização. Eu me redefini como homem. E, embora eu suspeite de que as coisas só ficarão mais difíceis daqui para a frente, estou realmente, mas realmente mesmo, empolgado com o que virá.

E espero que você também esteja.

Boa sorte na sua jornada... papai.

GLOSSÁRIO

Este não é um glossário exaustivo. Ele contém apenas uma porção de palavras que eu conheço.

água: Eufemismo para o líquido contido no saco amniótico. Quando a bolsa de água se rompe, todo o líquido se esparrama no chão ou no tapete caríssimo ou em qualquer local onde a mulher esteja.

aguilha: Invólucro de plástico na ponta do cadarço do sapato ou do tênis.

alarme de sofrimento fetal: Luz vermelha de emergência que pisca na vagina da mãe e alerta todo mundo que está na sala de parto que há problemas.

Alfa Romeo: Carro de seu médico.

amniocentese: Extração e exame do líquido amniótico para verificar se há algum problema com o feto.

amniotomia: Ruptura proposital do saco amniótico com um gancho.

anestésico: Substância que ajuda a suportar a dor. Usado pela mãe, para aliviar a dor do trabalho de parto (injetável ou por inalação), e pelo pai, para se acostumar com o bebê (uísque ou cerveja).

Antipericatametaanaparcircumvolutiorectumgustpoops: Título de um volume da obra clássica de François Rabelais, *Gargantua et Pantagruel*.

Apgar (teste): (i) Teste usado para subir de nível no Serviço Público Sueco, cujo nome é uma homenagem a Thor Apgar, primeiro-ministro sueco e alpinista; (ii) Exame feito logo após o nascimento para verificar os batimentos cardíacos, a respiração, a pele, o tônus muscular, os reflexos e o senso de humor do recém-nascido.

assadura ou erupção cutânea: Irritação da pele causada pela fralda molhada.

assoalho pélvico: Músculos da base da pelve que seguram tudo no lugar. Estão presos às paredes pélvicas, ao teto pélvico e ao corredor pélvico.

Audi: Carro da mulher do obstetra ou do marido da obstetra.

balanço: Dispositivo para balançar o bebê.

bebê: Termo técnico usado para designar a criança que deixou de ser um feto.

Beta hCG: (gonadotrofina coriônica humana) Hormônio desagradável.

bilau: Termo carinhoso para designar certo apetrecho masculino que foi o que começou toda essa história de ser pai.

bilirrubina: (i) Pigmento que se acumula na corrente sanguínea causando icterícia e dando ao bebê uma cor fantasmagórica; (ii) Eu sei que você não vai acreditar, mas eu realmente tive um colega no primário chamado Billy Rubino. Eu juro que é verdade. Mais ou menos.

BMW: Carro do/da obstetra.

bomba de leite: Dispositivo gigantesco que parece um aspirador de pó acoplado a um desentupidor de pia. Faz ruídos resfolegantes e suga o leite do peito da mulher.

Bond: Superespião britânico que tem uma licença 00 para matar. Primeiro nome: James.

boozeesukka: O que os bebês fazem para conseguir leite da mãe.

Braxton Hicks: Contrações falsas irritantes e extremamente inconvenientes.

canal de parto: (i) Braço de mar localizado a aproximadamente 50 quilômetros ao sul do Canal de Suez; (ii) Passagem por onde o bebê vem nadando para sair de dentro da mãe.

carotenoides: Não tenho ideia do que seja.

cérvix: Colo ou parte mais baixa do útero. Algo parecido com um gargalo.

César: (salada) Mistura deliciosa de alface, croutons, bacon, anchovas, ovos cozidos, queijo parmesão, azeite e vinagre.

César, Júlio: Estadista e general romano, 100-44 a.C.

César Romero: Representou o Cisco Kid e o primeiro *Coringa* do filme Batman.

cesariana: (i) Reunião de adeptos de César, na Roma antiga; (ii) Cirurgia para remoção de bebês teimosos da barriga da mãe.

circuncisão: Ato de cortar o excesso de pele da extremidade do pênis. Não confundir com castração ou circunlóquio.

cochilar: Desculpe. Esqueci o que é isso.

colédoco-colecistoenterostomia: Cirurgia para formação de uma passagem entre a vesícula biliar, o duto hepático e o intestino.

cólica: Problema que faz os bebês chorarem, gritarem e berrarem e o deixa maluco tentando resolver.

colostro: Secreção que sai das mamas, rica em proteínas, anticorpos e outros nutrientes, que aparece logo depois do parto, alguns dias antes de surgir o leite.

concepção: É quando o ovo fecundado se aninha no útero.

condomínio: (i) Bloco de apartamentos nos Estados Unidos da América; (ii) Camisinha de tamanho pequeno. Os outros tamanhos são condomédio e condomamute.

contraceptivo: Um pouco tarde para isso, não?

cordão umbilical: Estrutura que liga a mãe ao feto, por onde passam suprimentos.

coroar: (i) Colocar a coroa, símbolo de poder, na cabeça de um monarca; (ii) É quando a cabeça do bebê aparece no canal de parto.

cromossomo X: Cromossomo determinante do sexo da pessoa. Todos os óvulos são X. Se um espermatozoide X fecundar o óvulo, o bebê será menina.

cromossomo Y: Cromossomo determinante do sexo da pessoa. Se um espermatozoide Y fecundar o óvulo, o bebê será menino.

cromossomos: Filetes microscópicos que contêm milhares de genes. Cada célula tem 23 cromossomos. (ver *também* cromossomo X e cromossomo Y).

depressão: Estado de tristeza ou humor sombrio dos pais. Nas mães, costuma surgir após o parto. Nos pais, surge quando eles percebem que os bebês são realmente caros, causam noites em claro e acabam com sua vida social e sexual.

depressão pós-parto: Sentimento de tristeza experimentado pela mãe após o nascimento do bebê e atribuído, em grande parte, a alterações hormonais.

descida do leite: Saída de leite pelo mamilo em resposta a um estímulo (sucção pelo bebê, por exemplo).

Dia do Nariz Vermelho: (i) Campanha que arrecada fundos para divulgação da síndrome de morte súbita na infância; (ii) Como você ficará no dia seguinte ao nascimento do seu filho, se comemorar demais.

dilatação: Processo de tornar algo mais largo. Por exemplo, as pupilas dos seus olhos quando você entra em uma sala escura, ou o colo do útero quando ele percebe que o bebê está tentando passar.

dislexia: Distúrbio ou transtorno de aprendizagem na área da leitura, escrita e soletração.

dor: Sensação que você tem ao levar uma bolada na virilha durante o jogo de futebol. Há muito disso durante o parto (dor, não boladas).

dores pós-parto: As dores que você sente, depois do parto, quando as contas começam a chegar.

eca... isso não pode ser verdade, deve ser um pesadelo, acho que vou vomitar... eca...: Frase frequente, dita pelos pais ao trocarem uma fralda bem carregada pela primeira vez.

embrião: Outro nome de seu filho; tecnicamente, é a fase entre a implantação e a 12ª semana de gestação.

êmese gravídica: Enjoo matinal.

encaixar: (i) Colocar alguma coisa dentro de uma caixa; (ii) Movimento do bebê no último mês de gestação, que indica que ele está pronto para o procedimento de *ejetar*.

endorfinas: Opiáceos naturais do corpo humano.

enema: Atividade muito agradável para toda a família, na qual você recebe um jato de líquido no reto e tudo o que está escondido no seu intestino vem para fora com rapidez e entusiasmo. Às vezes, é usado nas mulheres, durante o trabalho de parto. Na Califórnia, você pode fazer isso por mera diversão.

enjoo matinal: É quando a mulher fica tão enojada e nauseada durante a gravidez que ela preferia estar assistindo a reprises da Oprah.

epidural (bloqueio): (i) Procedimento de anestesiar a metade inferior do corpo da mulher, injetando um medicamento na parte de baixo da coluna; (ii) Um tipo de jogada de vôlei.

episiotomia: Corte cirúrgico no períneo para tornar maior a passagem para o bebê. É feita para impedir ou deter a tendência de ruptura.

escroto: Apetrecho masculino feio, enrugado e mole, que contém os ultraimportantes testículos.

espermatozoide: Girino produzido pelo sexo masculino para a reprodução. Há cerca de 300 milhões de espermatozoides em uma ejaculação humana – parece um número impressionante, mas não tanto quanto o do porco, que produz 45 bilhões por vez. Bilhões, não milhões. O hamster, por outro lado, só produz modestos 3 mil, por isso há tão poucos hamsters no mundo.

estimulação: Técnica para apressar o trabalho de parto.

estribos: Usados no passado para manter as pernas da mulher elevadas durante o parto. Também usados por cavaleiros para se manterem equilibrados sobre o cavalo.

estrogênio: Hormônio produzido em grande quantidade durante a gestação.

fertilização: É quando o espermatozoide e o óvulo se juntam. É o primeiro passo na formação de um novo ser.

feto: Nome de seu bebê depois de ter se chamado embrião; tecnicamente, é o nome que ele tem no período entre a 12ª semana de gestação e o nascimento.

fiofó: Lugar onde são introduzidos enemas e supositórios.

flácido: Mole e caído.

fontanela: (i) Área delicada na cabeça do bebê recém-nascido, onde os ossos do crânio ainda não se uniram; (ii) Região da Itália famosa pelos queijos, pelos cogumelos e pelo molho de pimenta.

Na próxima vez em que você for a um restaurante italiano, peça ravioli à fontanela ou fettuccine à fontanela.

fórceps: Pinças gigantescas para agarrar o bebê.

fralda: Catador de porcaria.

gamaglobulina: Quando os viajantes da clássica série *Perdidos no Espaço* são lançados para fora de sua órbita por obra do malévolo, mas afinal simpático, dr. Zachary Smith, eles passam longe da Alfa do Centauro e vão cair no planeta EV 36, também chamado planeta Gama Globulina, onde encontram um terrível gigante, um ciclope que atira pedras contra a espaçonave.

gases: Os bebês têm muito. Significa que eles têm ar no estômago e que esse ar precisa sair por um dos orifícios que ficam nas extremidades do corpo.

gêmeos: Dois bebês nascidos da mesma gravidez.

glossário: Tentativa ridícula e óbvia de engrossar um livro enfiando mais algumas páginas irrelevantes no final.

ginecologista: Médico que trata de coisas de mulher.

gotejamento intravenoso: Introdução lenta de um líquido na veia, por meio de um cateter ligado por um tubo a uma bolsa que contém o líquido.

grávida: Mulher que carrega um bebê dentro dela.

gravidez fantasma: É quando um fantasma vai ter um bebê.

hormônios: Substâncias químicas presentes no sangue que atuam como mensageiros, ativando órgãos específicos do corpo, para provocar um determinado tipo de resposta. Durante a gravidez, a mulher tem muitos desses flutuando pelo corpo (hormônios, não órgãos).

hospital: Lugar onde há médicos e enfermeiros e aonde você vai quando está doente... mas isso, agora, não é importante.

icterícia: Problema comum em recém-nascidos – é quando o fígado do bebê deixa de fazer alguma coisa ou outra e alguma outra coisa acontece e aí o bebê fica amarelo.

implantação: É o momento em que a coisa gelatinosa que resultou da combinação do espermatozoide com o óvulo descobre um lugar aconchegante na parede do útero e passa a morar lá.

incubadora: Berço fechado usado para monitorar o recém-nascido.

indução: Estimulação artificial do trabalho de parto.

ingurgitamento: É quando os seios da mãe ficam abarrotados de leite e se tornam cada vez maiores e mais doloridos. Se não for resolvido o problema, eles podem explodir, causando muitos danos.

inversão amniótica: Isso não é nada. Eu só inventei.

ixoie: Não sei exatamente o que é. Acho que é grego ou algo assim, histórico.

Jaguar: O outro carro do/da obstetra.

lanugem: Cobertura de pelos finos sobre a pele do recém-nascido que geralmente desperta o seguinte comentário: "Olhem, é um carpete!"

leite: Material nutritivo que sai de vacas e mulheres.

ligação forte: É o que acontece quando você segura o bebê com suas mãos sujas de cola.

líquido amniótico: Líquido que fica dentro da bolsa onde o bebê cresce.

lira: Alça de metal que sustenta a cúpula do abajur.

lopadotemachoslachogaleokranioleipsanodrimhypotrimmatosilphoptekephalliokigklopeleiolagoiosiraiobaphetraganopterygonn: Tradução em inglês de uma palavra grega que significa "um ensopado composto de todas as sobras das refeições das últimas duas semanas".

luz (dar à): (i) Iluminação; (ii) Ter um bebê.

mamadeira: Recipiente usado para transferir leite para o bebê.

mamilos: Caroços na ponta dos seios.

Marte: Lugar onde sua mulher preferiria estar, em vez de estar na mesa de parto.

mastite: Inflamação dos seios, que ficam inchados e tão doloridos quanto testículos que acabaram de ser chutados por uma fila de caratecas.

mecônio: Nome técnico do material expelido na primeira evacuação do bebê após o nascimento. Em alguns países do Terceiro Mundo, é usado para pavimentar estradas. Não deve entrar em contato com a pele desprotegida.

memória: Local de seu cérebro onde você deve arquivar o vocábulo "sexo".

Mercedes-Benz: Carro que o/a obstetra usa quando está cansado/a do Jaguar.

muco: Secreção nasal.

obstetra: Médico especialista que faz partos e dirige carros de luxo.

ocitocina: Hormônio que estimula as contrações uterinas e a produção de leite.

oito e meia (da noite): Horário universal em que pais devem se retirar de festas.

osteocarnissanguineoviscericartilaginervomedular: Termo que descreve em detalhes a estrutura do corpo humano.

ovário: Local onde são produzidos os óvulos.

ovo: Óvulo fecundado.

ovulação: Momento em que o óvulo sai do ovário.

óxido nitroso: Gás anestésico também chamado "gás hilariante", embora eu não tenha certeza do motivo pelo qual alguém iria querer rir durante o parto.

parteira: Enfermeira especializada em partos.

parto: É quando o bebê sai de dentro da mãe.

parto pélvico: É quando o bebê nasce de traseira.

pediatra: Médico especialista em crianças, que dirige carros de luxo.

peito: (i) Pedaço que sempre causa briga, lá em casa, quando temos frango assado para o jantar; (ii) Um dos dois elementos de maior destaque na parte da frente do corpo de sua mulher, geralmente do tamanho de um balão dirigível na época do parto.

pelve: São os ossos que formam o quadril e que Elvis Presley gostava muito de movimentar.

períneo: Toda a área de pele ao redor da vagina.

peristaltismo reverso: O que acontece com você quando tem de trocar uma fralda que parece um efeito especial de filme de terror.

petidina: Anestésico injetável.

placenta: Interface entre a mãe e o feto, que alimenta o bebê no útero e recolhe os dejetos dele.

pontos: É o que você ganha quando é costurado. Geralmente são usados nos cortes do períneo.

Porsche: Carro do/da pediatra.

pós-natal: Após o nascimento.

pós-parto: Período imediatamente seguinte ao nascimento do bebê.

prematuro: Bebê que nasce antes de chegar à adolescência.

prepúcio: Pele que cobre a ponta do pênis, exceto se você for da minha geração (ou seja, nascido nos anos 60), caso em que você não terá isso, então nem adianta ir olhar. (ver também circuncisão).

progesterona: Hormônio produzido em grande quantidade durante a gravidez.

prostaglandina: Hormônio que estimula as contrações do trabalho de parto. É encontrado no gel de prostaglandina, nos pessários e no sêmen.

prototransubstancionalisticamente: O ato de superar o ato da transubstanciação.

quádruplos: Quatro bebês nascidos da mesma gravidez. Você vai ter lugar garantido em algum show de variedades.

quíntuplos: Cinco crianças nascidas da mesma gravidez. Você vai ter lugar garantido na capa e na galeria de fotos de pelo menos duas revistas femininas.

reflexo de procura: Movimento do bebê buscando encontrar o mamilo para sugar o leite.

SAAB: Carro do anestesista.

saco amniótico: Bolsa dentro da qual o bebê cresce.

secundamento: Saída da placenta e de outras coisas, de dentro do útero, depois que o bebê veio ao mundo.

sêmen: Material gosmento que sai de seu pênis e contém os espermatozoides.

Seu cretino: Expressão de afeto dirigida pela mulher em trabalho de parto ao marido.

sexo: Recordações...

sinal: Sangue e muco expelidos pela vagina indicando o início do trabalho de parto. (Pense nisso na próxima vez em que alguém lhe disser para virar à esquerda no terceiro sinal...)

SMSI: Síndrome da Morte Súbita Infantil.

snappy: Clipe usado para prender a fralda.

sofrimento fetal: Situação decorrente de complicações do parto que provocam falta de suprimento de oxigênio para o bebê, por exemplo, quando o cordão umbilical fica emaranhado ou dobrado.

Syntocinon®: Medicamento que contém ocitocina sintética e ajuda a contrair o útero.

termo: Período de duração da gravidez. Gravidez a termo é aquela em que o bebê fica no útero até o final do período previsto.

testículos: Você deve ter dois, a menos que tenha jogado futebol quando criança, caso em que um deles está provavelmente escondido onde não deveria estar. São os tanques de armazenagem dos seus espermatozoides e costumam ser chamados também de "joias da coroa".

tireasmaossujasdaí!: Expressão comumente proferida pelas mães contra maridos abusados.

tofu: Alimento mais nojento que já inventaram.

trabalho de parto: Tarefa realmente trabalhosa que a mulher precisa suportar para ter o bebê.

transição: Período doloroso entre o primeiro e o segundo estágio do trabalho de parto.

trifeta: Algo que tem a ver com corridas de cavalos e o número três.

trigêmeos: Três bebês nascidos da mesma gravidez.

trimestre: Um terço do período total da gestação a termo; três meses.

tubas uterinas: Túneis que ligam os ovários ao útero e onde ocorre a fertilização do óvulo.

ultrassom: Maravilha tecnológica que cria uma imagem do feto usando ondas sonoras de alta frequência. É como o sonar, mas, em vez de procurar submarinos inimigos, você procura mãos, pés e uma cabeça.

umbigo: Caroço que temos na barriga.

útero: Abrigo onde o bebê cresce na barriga da mãe.

vacinação: Processo pelo qual você protege seu filho de adquirir doenças fatais.

vácuo: Usado, em alguns casos, para sugar bebês entrincheirados.

vagina: Lugar onde o pênis entra, o esperma sai e, nove meses depois, por onde chega o bebê.

ventosa: Dispositivo para retirar bebês do útero.

vérnix: Creme grudento usado por bebês recém-nascidos e nadadores do Canal da Mancha para se manterem aquecidos.

virgem: Sua mulher grávida certamente não é.

vírgula: Tracinho oblíquo usado entre palavras ou números decimais.

Volvo: Carro mal dirigido por pessoas que usam bonés.

xilofone: Instrumento musical frequentemente usado para indicar a letra X nos livrinhos infantis porque é mais fácil de ilustrar do que xenônio, xenofobia ou xerografia.

zebra: Animal semelhante a um cavalo com listras, que vive nas estepes africanas.

APÊNDICE 1

FILMES EDUCATIVOS PARA PAIS

As locadoras de DVDs são verdadeiras minas de ouro de filmes educativos, prontos a ensinar tudo o que você precisa saber sobre concepção, gravidez, trabalho de parto e sobre a vida com um novo bebê em casa. Veja algumas sugestões de filmes que devem (e que não devem) ser vistos.

- *O Segredo do Abismo:* Se você quiser mudar um pouco de assunto, esse filme NÃO tem nada sobre bebês.
- *Aliens - O Reencontro Final:* Assista e fique agradecido pelo fato de os bebês humanos não nascerem assim.
- *Alien – A Ressurreição:* O alien tem um bebê – eca.
- *Aliens:* Nada a ver com a paternidade, mas é um ótimo filme, de qualquer modo.
- *O Bebê Alien:* Mulheres engravidadas por aliens. Eca.
- *Bebês:* Bobagem americana. Casais jovens lidam com gravidez, teste de espermatogênese, infertilidade, ultrassom etc. e todos vivem felizes para sempre. Tem uma cena bem realista sobre parto, já que a mãe dá à luz um bebê de oito meses, limpinho!
- *Bebê:* Com um nome assim, você esperaria alguma coisa decente sobre orientação a pais. Mas nada disso! O filme é sobre um dinossauro.
- *Presente de Grego:* Não, não é um filme sobre um caminhão de dinamite que atinge uma maternidade. Em vez disso, Diane Keaton é uma executiva de sucesso e uma mãe competente e dedicada. Aí eu acordei.
- *Baby of the Bride (título original):* Filmezinho meloso da pior espécie, com hordas de astros de novelas de TV

americanas passeando pelo assunto gravidez. Será que você vai mesmo querer ver um filme com Rue McClanahan grávida? Seguindo a típica tendência americana, eles ainda fizeram a continuação. (Ver *Mother of the Bride*)

- **O Casamento de Betsy:** Isso é o que o espera! (Ver *O Pai da Noiva*)
- **The Brady Bunch Christmas Special (título original):** Contém a cena de parto mais irreal já feita no cinema.
- **Breeders - A Ameaça de Destruição:** Filme *trash* sobre alienígenas e gravidez. Pode me passar o balde, por favor.
- **Cactus Jack - O Vilão:** Nada a ver com bebês, mas é um dos primeiros filmes de Arnold Schwarzenegger em que ele faz um caubói. Bom para dar risada.
- **A Cor Púrpura:** Mostra uma cena de parto bem realista. Veja Oprah jovem, atuando.
- **Dança com Lobos – versão do diretor:** Filme muito longo, bom para as noites com um bebê chorão.
- **Viva! A babá morreu:** Não assista antes de contratar a primeira babá para o seu filho.
- **Embryo (título original):** Filme de terror sobre um embrião que... bem, não interessa.
- **E.T.:** O astro principal se parece com um bebê recém-nascido.
- **Tudo que você queria saber sobre sexo, mas sempre teve medo de perguntar:** Veja Woody Allen no papel de espermatozoide prestes a cumprir seu destino.
- **O Exorcista:** Bom filme para prepará-lo para o trabalho de parto da sua mulher.
- **From Here to Paternity (título original):** Um dos grandes clássicos sobre como educar os filhos.
- **O Pai da Noiva:** Isso é o que o espera! (Ver *O Casamento de Betsy*)
- **Mais ou menos Grávida:** Filmagem autêntica da concepção enquanto são mostrados os créditos. Molly Ringwald

e o marido tentam equilibrar fraldas, depressão pós-parto, trabalho e criação dos filhos, enquanto suas vidas se desestruturam. A cena do parto é bem realista e tem até um recém-nascido de verdade fazendo o papel de recém-nascido. Ignore a cena em que a mãe segura o bebê no colo dentro do carro.

- *Frozen Assets (título original):* Comédia sobre um banco de esperma. Não diga mais nada.
- *Ginger Ale Afternoon (título original):* Conflito e tensão, marido arrogante, chauvinista e cretino, e a mulher grávida. A estrela do filme é a atriz grávida Dana Anderson, que passa quase o filme inteiro de biquíni. É preciso ver para crer!
- *A Mão Que Balança o Berço:* Outro filme que você não deve ver antes de contratar a primeira babá para seu filho.
- *Caçada ao Outubro Vermelho:* Épico subaquático espetacular. Os submarinos emitem ruídos muito semelhantes aos do útero.
- *Olha Quem Está Falando:* Cena genial, produzida por efeitos especiais, durante os créditos, mostrando o espermatozoide caçando um óvulo e, depois, o feto se desenvolvendo.
- *Olha Quem Está Falando Também:* Não vi este.
- *Olha Quem Está Falando Agora:* Também não vi.
- *Olha Quem Está Falando 4:* Não acho que já tenham feito este. Espero que não. Eu não quero ver.
- *Feita por Encomenda:* Vale a pena ver apenas pela excelente cena da doação de esperma. Depois dessa cena, pode desligar.
- *Como fazer Bebês:* Comédia bem britânica de Ben Elton. Joely Richardson luta para engravidar.
- *Modern Love (título original):* Burt Reynolds e Rue McClanahan estrelam este filme. Preciso dizer mais alguma coisa?

- *Mother of the Bride (título original):* Rue está de volta! As pessoas que fizeram este filme deviam estar precisando muito de dinheiro. Ou, então, perderam alguma aposta. (Ver *Bendita Troca*)
- *Dona de Casa por Acaso (título original):* Michael Keaton faz o papel de um pai em horário integral e descobre que não é tão fácil quanto parece.
- *Nove Meses:* Filme com Hugh Grant. E pronto. Ele contracena com Julianne Moore.
- *O Tiro Que não Saiu pela Culatra:* Steve Martin mostra o que nos espera. Grande filme.
- *Paternity (título original):* Burt Reynolds à caça de uma incubadora.
- *O Pestinha:* Pior filme que eu já vi na vida..
- *O Pestinha 2:* Pior ainda que o primeiro
- *Robin Williams Live - Live on Broadway:* Inclui abordagens divertidas do parto e da criação dos filhos.
- *O Bebê de Rosemary:* Uma mulher dá à luz o anticristo. Não deixe sua mulher ver esse filme.
- *Ela Vai Ter um Bebê:* Um dos melhores filmes didáticos para futuros pais. Pai ingênuo do tipo II encara os desafios do teste de espermatogênese, aulas de parto e a experiência do hospital. Cena realista do trabalho de parto e excelentes sugestões de nomes para o bebê durante os créditos finais.
- *Spawn:* Mulher dá à luz um horrendo alien. Também não deixe sua mulher ver esse filme.
- *Star Wars Episódio III:* A Vingança dos Sith: Cena do nascimento de Luke e Leia. Depois a mãe morre. Maldito Darth Vader!
- *O Exterminador do Futuro:* Filme sobre a concepção de John Connor.
- *O Exterminador do Futuro 2:* Vejam como a gravidez mudou a vida de Sarah Connor.

- ***O Exterminador do Futuro 3:*** Imagine só... é o governador da Califórnia.
- ***That's My Baby (título original):*** Ele quer um bebê, ela quer uma carreira. Evite.
- ***Três Solteirões e Um Bebê:*** Melhor filme sobre a experiência da paternidade. Três executivos de sucesso (Danson, Guttenburg e Selleck) mergulham de cabeça na aventura de cuidar de um bebê. Ótimas abordagens dos desafios de alimentar, trocar fraldas, dar banho, fazer compras, etc.
- ***Trois Hommes et un Couffin:*** O mesmo *Três Solteirões e um Bebê*, só que em francês.

APÊNDICE 2

O QUE MEUS AMIGOS TÊM A DIZER

Como o foco deste livro é a experiência do homem comum com a paternidade, resolvi convidar meus amigos, pais, para darem sua opinião a respeito do assunto. Pedi a eles que falassem livremente sobre gravidez, parto, experiências de vida e qualquer outra coisa que lhes viesse à cabeça.

Assim, eu tenho certeza também de que eles comprarão um exemplar do livro em vez de pedir o meu emprestado.

Então, aí vamos – eis a sabedoria dos que trilharam esse caminho antes de você. Não acredite em tudo o que eles dizem.

ADRIAN - *Pai de Lyndall (8 semanas)*
Desde os 15 anos, eu sempre planejei minha vida... o tipo de emprego que eu gostaria de ter, o tipo de garota com quem eu queria me casar e o local onde eu gostaria de morar. Alcancei meus objetivos, mas, de repente, descobri, com grande desconforto, que eu já não tinha o controle da minha vida. Tive medo de não poder planejar mais nada.

A primeira parte da gravidez foi realmente difícil – minha mulher corria o risco de perder o bebê. Eu estava ansioso com a perspectiva de assistir ao parto, mas depositava minha confiança em alguém que é maior do que eu. Eu rezava para que tudo corresse bem.

Quando chegou o dia, a bolsa de Annie rompeu em casa, por isso fomos para o hospital às pressas. Foi realmente empolgante. Ao chegarmos, ela estava com 2 centímetros de dilatação. Vesti minha sunga e entrei no chuveiro com ela. Daí para a frente, as coisas se precipitaram. Tudo aconteceu tão depressa que eu fiquei em estado de choque. As dores vinham cada vez mais intensas e agudas. Eu não entendia o que estava acontecendo.

Lyndall nasceu meia hora depois. Fiquei perplexo – e ainda estava perplexo passadas duas horas. Totalmente embevecido com minha nova família. Foi aí que o médico me lembrou de que eu ainda estava de sunga e talvez fosse interessante vestir alguma coisa.

AL - *Pai de Amy (9 anos), Beth (7 anos), Gareth (5 anos) e Josephine (2 anos)*

Meu conselho? Esteja sempre por perto e faça com que eles tenham uma infância divertida.

ANDREW - *Pai de Zoe (8 semanas)*

Uma coisa que realmente me chateava era a visão negativa que todos me passavam sobre como tudo mudaria na minha vida quando eu me tornasse pai. Mas não foi nada disso. Pensei que minha vida fosse acabar. É claro que algumas coisas mudaram, mas não houve nada a que eu não pudesse me adaptar.

Acabamos de voltar de uma viagem de quatro semanas, na qual acampamos e fizemos trilhas, com Zoe sacolejando, enganchada no *sling*, no nosso peito. Ela sobreviveu aos trajetos off-road na 4 x 4 e a uma fuga de Koszciusko em alta velocidade, para escapar de uma tempestade. Nossa barraca desabou, numa noite, e Zoe não acordou. Em um trecho da viagem, Gaia foi pelo rio, no caiaque, enquanto eu levava a nenê no carro, dirigindo na estrada que acompanha o rio. Quando Zoe queria mamar, eu parava e buzinava para Gaia.

Acho que tudo é questão de atitude. Se você se concentrar no lado negativo e se retrair com esses pensamentos, com certeza vai acabar virando um derrotista que vê problemas em tudo.

Quanto ao parto, foi tudo muito louco. Cheguei do trabalho e Gaia tinha ido para o hospital a pé. Cheguei lá por volta das 4 da tarde e tivemos que aguentar até as 7 da manhã do dia seguinte.

Estávamos tão exaustos que cochilávamos nos três minutos de intervalo entre uma contração e outra.

Quando Zoe nasceu, fiquei absolutamente maravilhado. Foi a coisa mais incrível que já vi. Eu já fiz muita coisa na vida, nos quatro cantos do mundo, mas o nascimento dela foi o evento mais impressionante que testemunhei.

(*Ah é? Vamos ver se você ainda vai estar assim tão animado daqui a seis meses, sr. Sabe-Tudo.* PD)

BILL - *Pai de Talitha (3 dias)*
Todo mundo me fala sobre esse tal de status SF – "sem filhos". Fico ansioso e curioso em relação às mudanças que irão ocorrer em nossa vida. Espero e fico torcendo para que eu consiga enfrentar os desafios e ser um bom pai.

O parto foi muito emocionante. Fomos para o hospital, mas voltamos para casa porque nada acontecia. Quando chegamos em casa, as contrações recomeçaram. Voltamos ao hospital. Eram 4 horas da tarde. Talitha nasceu mais ou menos às 4 da manhã do dia seguinte. Fiquei surpreso quando o médico me chamou para "aparar" o bebê. Ela era muito escorregadia! Fiquei feliz por não ser eu a dar à luz.

DAVID - *Pai de Simon (3 anos) e Timothy (15 meses)*
No papel de pai, você não precisa ser um dos Sete Homens de Ouro... mas aqui está minha visão sobre o Bom, o Mau e o Feio de ser pai.

O Bom: aquele momento mágico quando a cabeça do bebê "coroa", o primeiro sorriso, os primeiros passos, as primeiras palavras, abraços e beijos.

O Mau: noites em claro, noites em claro, noites em claro.

O Feio: gravatas manchadas de leite vomitado, primeiros dejetos sólidos, fraldas que vazam.

ERIC - *Pai dos gêmeos Harrison e Jordan (8 meses)*

Não creio que seja possível imaginar, antes, como é difícil. Eu tenho sete sobrinhas e sobrinhos, alguns dos quais ajudei a criar. Mas conservar o emprego e viver com eles vinte e quatro horas por dia, sob o mesmo teto... é outra história.

Cinquenta vezes mais difícil e cem vezes melhor do que poderia imaginar.

Meu conselho? Cerque-se de toda a ajuda possível.

GABI - *Pai de Daniel (10 anos) e Joel (7 anos)*
Meu primeiro pensamento, quando entrei na sala de parto, foi: "De jeito nenhum esse bebê vai conseguir passar por ali!" Que bom que não sou mulher!

O trabalho de parto foi bem exaustivo. Eu me lembro, sobretudo, da fome que eu sentia. Deb entrou em trabalho de parto à meia--noite e vinte horas depois eu ainda não havia comido nada. Nós estávamos psicologicamente preparados para um parto normal, mas ficamos sabendo que o bebê estava em posição pélvica e havia começado a entrar em sofrimento, por isso Deb teve que ser submetida a uma cesariana. Aquilo foi inesperado. E, para ser franco, tive medo de que algo desse errado.

Quando trouxemos o bebê para casa, nossa vida não mudou tanto assim. Ainda íamos a restaurantes, só precisávamos colocá-lo embaixo da mesa! A grande mudança que aconteceu comigo é que eu era um surfista. Mas foram-se os dias em que eu podia pegar minha prancha e passar a tarde no mar. Levar o bebê à praia significa levar guarda-sol, moisés, roupinhas... enfim, você sabe. O surfe se foi.

GRANT - *Pai de Alex (3 anos) e William (3 dias)*
Ser pai traz muitas alegrias inesperadas e momentos de prazer espontâneo. As crianças tornam a vida mais limitada, porém mais rica. Você tem menos paz, porém mais realização.

Aceite todos os conselhos que lhe servirem, peça ajuda sempre que precisar e não negligencie sua mulher.

JAMES - *Pai de Anna (6 horas)*

As aulas de parto foram uma perda de tempo: não fizemos nada daquilo que havíamos praticado. Sarah não queria caminhar, não queria ser abraçada, não queria massagem.

Fiquei frustrado porque a equipe médica dizia "olhe, é a cabeça" e coisas do gênero, mas eu não podia ver nada porque Sarah estava me agarrando pelo pescoço e eu me sentia em um ringue de luta livre.

Fiquei realmente surpreso quando Anna nasceu. Ela estava recoberta por essa cola branca e grudenta. Parecia Des Renford saindo do Canal.*

De qualquer forma, foi fantástico. Incrivelmente comovente. Eu não perderia isso por nada.

JAMIE - *Superpai dos gêmeos Caleb e Daniel (2 anos) e dos gêmeos Sam e Hannah (8 meses)*

Quando Annie foi ficando bem barriguda, com cinco meses de gestação, todo mundo começou a suspeitar. A barriga cresceu depressa. Quando ela fez o exame de ultrassom, tivemos certeza de que eram gêmeos. Ficamos realmente excitados com a notícia. Meu único medo é que houvesse mais de dois lá dentro. Eu ficava pensando: "Acho que tem mais um se escondendo, tem mais um se escondendo." Mas não havia.

Na segunda vez foi diferente. Eu nunca, mas nunca mesmo, poderia imaginar que fôssemos ter gêmeos novamente... Estatisticamente, era improvável e eu dizia a mim mesmo que não deveria me preocupar.

Quando fiquei sabendo, entrei em estado de choque. Fiquei mudo... um zumbi. Quatro filhos em dois anos e meio... Eu não conhecia ninguém que tivesse passado por isso. Na manhã seguinte, eu já estava melhor.

---

* Alusão a Desdemond Renford (1927-1999), atleta australiano que atravessou o Canal da Mancha a nado 19 vezes.

É um momento tão fantástico ver um filho nascer... Você o segura no colo, olha para ele e, por um momento, é quase como se estivesse olhando no espelho. É muito bom quando a enfermeira do berçário diz: "Olhe, ele não é a cara do pai?!" Ver-se assim recriado em outra pessoa é algo que deixa a gente perplexo, é isso que torna o fato de ser pai tão especial.

Olhar para meus filhos e me ver neles, compartilhar tantas coisas, vê-los crescer e ter o privilégio de cuidar deles – tudo isso me faz sentir importante.

Ter quatro crianças em casa é difícil, mas não é impossível. Nossos bebês sempre foram bonzinhos e é bem especial segurá-los no colo, um em cada braço. Faz a gente se sentir... grande.

JEFFREY – *Pai de Nathaniel (4 anos), Tyler (2 anos) e do "Bump" (2 meses de gestação, ele vem aí...); pai adotivo de Dugald (34 anos) e the Tyrone W. Dawg (4 anos)*

Dizem que nada pode prepará-lo para ser pai. É verdade, bebês não vêm com manual de instruções, como o software do computador, mas eu acho que tudo na vida nos prepara para sermos pais.

É como futebol americano. Você tem o primeiro filho – fica 2 x 1. Bem fácil. Você tem o segundo – fica 1 x 1. Ainda dá para levar. A partir daí, você começa a ficar só na defesa. Eles conhecem todas as jogadas. Cada pai marca um filho, mas ainda sobra um para fazer o estrago. Eles têm tudo planejado.

Ou, então, é como ciência. Cada filho é como uma partícula com carga elétrica. O comportamento depende de quanto espaço eles têm para se movimentarem, da temperatura ambiente, da velocidade de deslocamento, de quantas colisões eles sofrem e de quantas outras partículas existem nas proximidades. Daí você introduz os bastões de controle – os pais. Eles absorvem toda a energia e evitam que ocorra grande destruição.

Ter um novo bebê em casa realmente muda muita coisa. Você não pode mais fazer o que lhe dá na telha, como pegar a bicicleta e sair para uma volta. É fisicamente cansativo, mas não é exatamente exaustivo. Quero dizer que não cansa mais do que estudar para terminar a graduação ou ir a muitas festas. Mas requer caminhões de energia mental. Os bebês exigem sua atenção em tempo integral. Você não pode simplesmente deixá-los se divertindo sozinhos.

(Minha idade favorita é dos 4 aos 7 meses: é a idade do "autoentretenimento sem mobilidade", como eu chamo. Você dá a eles um chocalho e vai ao banheiro ou à cozinha por uns cinco minutos e sabe que, quando voltar, eles estarão no mesmo lugar.)

Ser pai é gratificante e faz a gente ficar mais humilde. Foi algo que me ajudou a dar valor a meus pais e a mudar minha perspectiva sobre muita coisa. Em geral, a gente não dá muita bola para os pais, mas, depois que temos filhos, percebemos quanto tempo e esforço isso nos custa.

É uma enorme responsabilidade moldar uma pessoa. Assustador, mas emocionante.

JIM - *Pai de Michelle (3 anos) e Madeleine (7 meses)*
Todo mundo ouve histórias sobre novos pais e sobre como nunca se pode estar preparado para essa etapa. Você aprende a valorizar seus pais como nunca pensou que poderia. Faz você perceber o próprio egoísmo e lhe dá senso de responsabilidade.

O parto, em si, é extremamente estressante, principalmente porque você se sente impotente. Ao mesmo tempo, a iminência do parto é excitante.

Lembro-me de ter sentido um grande alívio quando nosso bebê nasceu. A dor de minha mulher havia cessado e o bebê tinha tudo certinho, no lugar. Não é uma experiência pela qual a mulher deva passar sozinha. Minha filhinha era adorável... não era como esses bebês comuns, que as outras pessoas têm. É sério. Se ela fosse horrível, eu diria.

Hoje, minha vida mudou totalmente. Não tenho mais tempo para fazer o que me dá na telha, como antes. Não há dúvida de que, às vezes, eu gostaria de poder fazer mais coisas, mas o tempo que passamos com nossos filhos é valioso demais.

Moldar uma pessoa – assustador, mas emocionante...

JOHN - *Pai de Angus (19 meses)*

Um "terno" é uma roupa. Não tenho a mínima ideia do motivo pelo qual esse termo foi incorporado à palavra "paterno". Não há qualquer semelhança entre a situação em que eu me encontro no momento e qualquer terno que tenha usado. Um terno, você põe e tira ao seu bel-prazer, mas o papel de pai não é algo em que você possa se enfiar, assim, sem maiores dificuldades. Uma vez "vestido", ele se torna tão parte de você que nunca mais pode ser despido.

Enquanto a roupa geralmente é feita sob medida para o usuário, não se pode moldar o papel de pai para ajustá-lo à nossa vontade. Ele vem como vem, e nós é que temos que nos ajustar a ele. Ele afeta todos os aspectos de nossa vida: a rotina diária, nossos hábitos de sono, nossa vida social, nossas finanças – nada escapa à influência desse montinho de felicidade.

É algo que não podemos prever totalmente. Nem todas as informações e todos os conselhos do mundo (sem dúvida, todos contidos no livro de peso de Downey!) são capazes de nos preparar para os extremos de emoção do nascimento ou para a obrigação de ir ao trabalho em um estado de total exaustão mental, decorrente de uma semana de noites em claro, tendo os ouvidos atacados pelo choro do bebê, sem saber o que fazer para acalmá-lo, ou para as inúmeras outras experiências que nos esperam do lado de lá.

Então, o que se pode dizer em favor da paternidade?

Não há nada capaz de prepará-lo para a emoção de ver aquele rostinho se iluminar com um sorriso. O prazer de ser pai é algo tão profundo e duradouro que facilmente supera o prazer fugaz que experimentamos ao gerar esse bebê.

JOHN - *Pai de David (5 meses)*

Eu sempre achei que, quando chegasse o momento, eu seria o Superpai e que tudo aconteceria naturalmente. Não levei muito tempo para perceber que ser pai exige muito esforço, frustração, autossacrifício e humildade. Minha vida virou do avesso, mas eu não trocaria isso por nada.

Já fiz muitas coisas que me deram satisfação e prazer. No entanto, ser pai é a melhor de todas, pois me trouxe a sensação de ser uma pessoa completa.

MALCOLM - *Pai de Rebecca (2 anos) e Joshua (7 meses)*

Deixe-me alertá-lo.

Ir a qualquer lugar com crianças significa carregar o carro com bercinhos, cadeirões, mudas de roupas frescas, carrinhos, mudas de roupas quentes, bonés, brinquedos e livros. Você vai precisar de um carro maior.

De repente, sua casa já não parece tão grande nem tão limpa.

Ir a qualquer lugar sem as crianças significa ter de bajular, persuadir e implorar a amigos, parentes ou babás.

Você acaba ficando muito mais em casa.

Eu também não costumava achar que 6h30 era hora de acordar.

Mas nada poderia ter me preparado para ouvir de minha filha "Eu te amo, papai" ou para ver o rostinho de meu filho se abrir num sorriso quando entro pela porta de casa, à noite.

MARK - *Pai de Laura (3 anos) e Katie (21 meses)*
(Mark está no exterior no momento, mas sei que ele não gostaria de ficar de fora, por isso escrevi alguma coisa por ele, usando o seu característico tom de voz, sarcástico e mordaz – PD.)
Ser pai... ora, quem não gostaria de ser pai? Arruinou minha vida, mas quem se importa? É ótimo. Maravilha. Não, é sério. Tenho os melhores filhos do mundo. Adoro ser o pai deles.
Adoro o cheiro de fralda suja pela manhã.

MARK - *Pai de Adam (9 anos) e Matthew (4 anos)*
Será que foi tão difícil assim para meu pai?

MATTHEW - *Pai de Jordan (1 semana)*
Sabem... não fiquei particularmente desconcertado. Isso já foi feito milhões de vezes no mundo. E, se todo mundo no planeta pode fazer isso, nós também podemos.
Não quero que nossa vida seja comandada pelo bebê. Se quisermos sair para jantar, colocaremos o bebê no moisés e ele irá conosco. Talvez eu seja ingênuo, não sei. Entendo que teremos de passar mais tempo em casa, mas também não acho que a gente tenha que se enclausurar.
Estamos juntando dinheiro há algum tempo, para que Tracey possa parar de trabalhar por uns tempos. Depois, eu vou pedir minhas férias e uma licença e nós vamos nos revezar. Vou poder passar três meses seguidos em casa. Que grande oportunidade!

OWEN - *Pai de Sophie (2 anos) e Rosanna (2 meses)*
A pior coisa que eu imaginava acerca da chegada do bebê era ter que passar noites em claro. Por isso, para nos prepararmos para o pior, ficamos esperando o que as pessoas costumam chamar, nos círculos de iniciados, o "chorão". Não sei, com certeza, se é possível armazenar sono para uso posterior, mas calculei que, quando Sophie

chegasse, poderíamos ficar sem uma noite de sono decente por cerca de seis meses.

Estranhamente, nossa nova hóspede não teve problemas para dormir à noite – às vezes, ela dormia mais de doze horas seguidas. Ficávamos indo ao quarto dela, pé ante pé, durante a noite, e colocando um espelho em frente ao narizinho para ver se ela ainda estava respirando. Acho que aprendemos esse truque no filme *Quem Viu Quem Matou*.

A moral da história é: durma bastante antes da chegada do bebê e não espere que ele durma como um anjinho.

Quando Rosie chegou, eu achei que não teríamos muito trabalho adicional. Agora, parece que estamos lutando *tag-team*. Quando uma para, a outra começa. Elas são espertas.

De certo modo, temos o dobro do trabalho, mas também o dobro da diversão.

PHIL - *Pai de Samuel (5 anos), Laura (3 anos) e Cameron (6 semanas)*

Os partos foram uma experiência fantástica. Só o fato de estar lá já foi incrível. Nossos filhos nasceram em uma maternidade onde o pai tem um papel importante no processo. Eu ficava ajudando com bolsas de água quente, massagens, banhos de chuveiro, abraços carinhosos... em suma, ficando lá, com ela.

Em cada parto, eu fico totalmente embasbacado. É miraculoso e emocionante ver e segurar, finalmente, seu bebê...

Acho que as coisas foram ficando mais fáceis à medida que tivemos mais filhos. O primeiro foi um certo choque para nossa rotina doméstica, mas depois o choro, as fraldas, o sono entrecortado, tudo passou a ser rotina. Acho que o terceiro está sendo realmente fácil.

Adoro estar com minha família e ver meus filhos crescerem.

RAY - *Pai de Lachlan (2 anos)*
Ter filhos vai arruinar sua vida – *Ray*.

Não vai, não – *mulher de Ray*.

Na verdade, são os pais que arruínam sua vida – *filho de Ray*.

Você é que pensa, eu estava muito bem sem essa concorrência – *gato de Ray*.

Minha vida agora está completa – *sogra de Ray*.

Essa foi a única coisa que prestou que ele fez na vida – *mãe de Ray*.

Sem comentários – *pai de Ray*.

Ele precisa melhorar a tacada no golfe – *sogro de Ray*.

É sério, antes de pararmos de usar os anticoncepcionais, minha mulher e eu perguntamos a alguns amigos como era ser pais. O que eles todos enfatizaram foi que, se você não quiser muito, muito, muito, muito, muito ter filhos, não tenha. E isso foi pouco.

Se você está prestes a ser pai, há muita coisa que eu poderia lhe dizer para facilitar sua vida. Mas não vou dizer. Você pode descobrir sozinho. Mas vou lhe dizer só uma coisa:

Tudo o que você teme será pior do que espera, e tudo o que você espera será melhor.

(*Quase não dá para dizer que Ray é escritor* – PD.)

SANDY – *Pai do Prometido (3 meses de gestação, ainda lá dentro)*

Pascale chegou em casa com um teste de gravidez, desses que se compra na farmácia, só para me provocar. Ela havia parado de tomar pílula fazia pouco tempo, por isso era uma brincadeira.

O sorriso sumiu de nosso rosto quando a tirinha ficou roxa. Ficamos sentados lá, olhando para aquilo, esperando que a cor desbotasse. Não desbotou.

Na manhã seguinte, ela se levantou e fez o teste novamente. Ainda roxa. Já se passaram várias semanas e a droga da tirinha continua roxa. Toda manhã nós fazemos o teste novamente. E toda manhã a tirinha fica roxa.

Aos poucos, a ficha está caindo – a tirinha roxa significa que... É difícil aceitar. Aconteceu... e pronto. O mais engraçado é que eu não me sinto "pai". Sou só um cara normal.

SIMON - *Recém-casado*
Olhe só, Pete, eu sei que ainda não sou pai, mas estou tentando, juro! Daqui a alguns anos, você vai ver só, vamos estar craques nessa coisa de criar filhos. Posso aparecer em seu livro, por favor? Você incluiu o Mal e o Sandy.

SIMON - *Pai de Christina (6 meses)*
Uma das melhores coisas de ser pai é sentar em frente à TV, nas tardes de domingo, com minha filha no colo, para assistir ao jogo de rúgbi. Ela é uma torcedora entusiasmada: olhinhos arregalados, bracinhos abertos, perninhas sacudindo. Para ela, não tem a mínima importância quem vence, desde que esteja de vermelho.

Com sua simples presença, minha filha transforma um evento banal em uma ocasião especial.

Só o que me preocupa é que ela está adquirindo o hábito de chamar de "papapapapa" todos os jogadores que ela vê em campo.

WAYNE - *Pai de Brittainy (18 meses)*
Desculpe, Pete, eu ia tentar escrever hoje, mas estou superocupado sendo pai. Então... por que você não coloca só isso mesmo?

Conheça também outros livros da FUNDAMENTO

CRIANDO MENINOS
Dr. Steve Biddulph

Quem tem meninos hoje está preocupado. Toda hora eles enfrentam problemas. Os pais gostariam muito de entendê-los e de ajudá-los a serem amáveis, competentes e felizes. O livro discute de forma clara, leve e emocionante as questões mais importantes sobre o desenvolvimento de um homem, do nascimento à fase adulta. Para mãe e pais de verdade.

Editora FUNDAMENTO
www.editorafundamento.com.br